コアビリティトレーニング
超走

coreability training

chou-sou

ベースボール・マガジン社

プロローグ

読者のみなさんへ

2004年12月に、前作『コアビリティトレーニング』（ベースボール・マガジン社刊）を出版してからというもの、各方面から声をかけていただく機会が多くなりました。体幹トレーニングの重要性が認知されてきた証拠だと実感しています。

特に、反響が大きかったのは、トレーナーとして現場でスポーツ選手たちを診ている専門家の人たちです。遠いところを私の診療所まで直接、足を運んでくれる方などは、現場レベルでの具体的な疑問、質問を抱えています。私たちは皆同様に、日々、現場で選手たちと接しているときに、試行錯誤しながら、少しでも選手のパフォーマンスを上げ、ケガから一日でも早く復帰させたい、と切望しています。

私自身もコアビリティトレーニングをDVD、書籍を通して世に出すまでは、一介の治療者でした。いまでも、自分は一人の治療者であるという気持ちに変わりはありません。

ただ、幸いにも、私はこの仕事を約20年間続けてきた中で、治療者としての基礎を学び、トレーニング理論を読みあさり、試行錯誤を繰り返しながら、それを自分なりに噛み砕いて臨床にて実践してきた結果、ひとつのトレーニング理論を体系化できました。それが『コアビリティトレーニング』だったのです。

ですから、私もそうだったように、疑問や質問を抱えているトレーナーの方々のみならず、選手の方々も、ぜひ、私の『コアビリティトレーニング／超走』から活用できることを、吸収してほしいと思います。そして、自分の“答え”をみつけてください。

最初は誰も“模倣”からはじめます。これが、前作の

「まえがき」でも書きました“書状錬磨”（活字などのメディアを通して学ぶこと）です。
　次に、学んだことを実践している内に、徐々に自分なりの考え、治療方法がつくられてきます。これが“事情錬磨”（自分の経験から学ぶこと）です。
　最後に、情報のアンテナを張り、自分が直接会って話を聞きたいと思う人がいたなら、その人の話を聞ける場所を探してみることです。それが“人状錬磨”（人から教えを学ぶことで自分を変えていくこと）です。
　それを最後まであきらめることなく完遂できた人こそが、真のトレーナー、真のアスリートになることができるのだと私は考えます。
　私は学者でもありませんし、研究者でもありません。しかしながら、自分の経験則と理論体系には自信を持っています。それは、自身が治療し、また、トレーニングレッスンの場で指導している中で、患者であり、受講者たちが、『コアビリティトレーニング』によって、パフォーマンスアップとケガからの早期回復しているのを、目の当たりにしているからです。
　この本を手に取った人には、既刊のDVD・書籍を見たり読んだりした人、『コアビリティトレーニング』という言葉は知っていた人、まったく知らずに初めて読む人、などそれぞれだと思います。
　ですが、いずれにせよ、手にとった理由は“興味を持った”から、だと思います。とすれば、自分の直感を信じ、知的好奇心を満たすためにも、最後まで読んでみてください。じっくりと噛みしめて読んでいただければ、『コアビリティトレーニング』を理解できるはずです。
　読んだあとで、それを実践するかどうか。それはもちろん、アナタ次第です。

コアビリティトレーニング提唱者
山下哲弘

「超走」について

「より速く走れること」「より俊敏に動けること」は、スポーツアスリートにとって、常につきまとう課題であり、永遠のテーマです。記録を追う競技は、いうにおよばす、勝敗を競う球技や格闘技をみても、スピード、クイックネスがあるに越したことはありません。

もし、アナタがいまより「より速く走り、俊敏に動ける」としたなら、間違いなくパフォーマンスレベルは向上し、選手寿命すらも長らえることでしょう。

私が今回、この本で伝えようと思ったことは、人体の筋肉の性質を解剖学的に理解し、より速く走る、動くために必要な筋肉だけを鍛えたうえでの「超走」動作の意識づけです。

人体の解剖学は実に奥深いものです。一朝一夕に理解できるものではないのです。しかし、人体というものを理解せずしては、本当の意味での治療もできないことになる、と私は考えています。

この本を理解しながら最後まで読んでもらえたならば、「より速く走れること」「より俊敏に動けること」を、お約束します。

読者の方々の中には、前作『コアビリティトレーニング』を手にとり実践したことにより、体の軸がしっかりと形成され、すでにパフォーマンスが上がっているのを実感している人もいるでしょう。だとしたら、今回の『超走』は、さらにアナタのパフォーマンスレベルをあげてくれるに違いありません。また、今回、この『超走』で初めてコアビリティトレーニングを知った人にとっても、すぐに効果を実感できる内容になっています。

必ずコアビリティトレーニングを実践し、実感しながら、生まれ変わってください。

CONTENTS

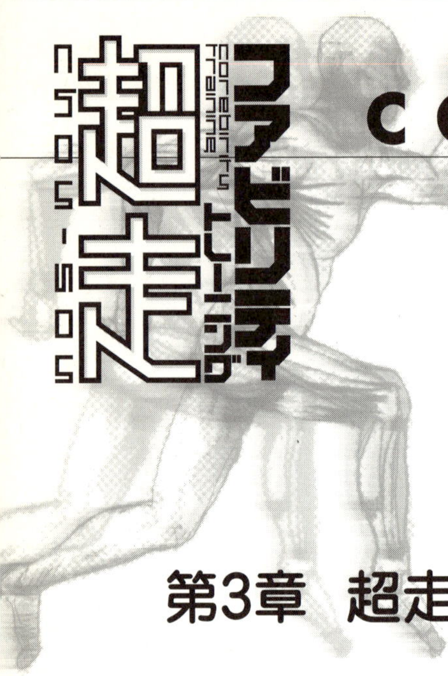

CONTENTS

第5章　超走トレーニング　077

超走コラム

人体の主要筋肉&骨格図　130

装幀 ● 貝原秀哉
イラスト ● 松下佳正
本文デザイン ● 池貝亨
編集協力 ● 山田ゆかり

第1章

コアラインを知る

絶対的なコアラインの必要性

私が提唱するコアビリティトレーニングは、その名のとおり、「コア（体幹）が可能にする動き」を高めるためのトレーニング理論です。私は、そこに理論の中でも根幹ともいうべき軸を据えました。それが、“コアライン”です。

コアラインとは、いうなれば「カラダの歪みのない、まっすぐな正しい姿勢」のことです。別のいいかたをすれば、「重力に対してもっとも負荷のかからない姿勢」となります。

たとえば、後尾の平らな鉛筆を机に立てようとするとき、そっと立てさえすれば、机が傾いていないかぎり、鉛筆はまっすぐに立ちます。これは、チカラが鉛筆の底（接地面）に均等にかかっているからです。

しかし、鉛筆のどこかが曲がっていたとしたら、鉛筆をまっすぐに立てることは難しくなります。なぜなら、鉛筆が曲がることによって、重力がまっすぐにかかるための軸、つまり、コアラインが崩れてしまい、曲がった部分にも負荷が強くかかって、チカラがかかるのが鉛筆の底面に均等ではなくなってしまうからです。結果、バランスが悪くなり、負荷（重力）も大きくなり、鉛筆はまっすぐな状態を保てなくなるのです。

これを人体に置き換えて考えてみても、同じことがいえます。

鉛筆のようにまっすぐな軸を持っている人は、重力が足底（正確にはくるぶしの少し前方）だけにかかり、そこから上は、まっすぐに立った鉛筆のように、カラダの重さをあまりを感じることなく立てるようになるわけです。

もちろん、運動を行ううえでは、横への移動が生じるため、足裏の1点以外にも重力はかかりますが、まっすぐな

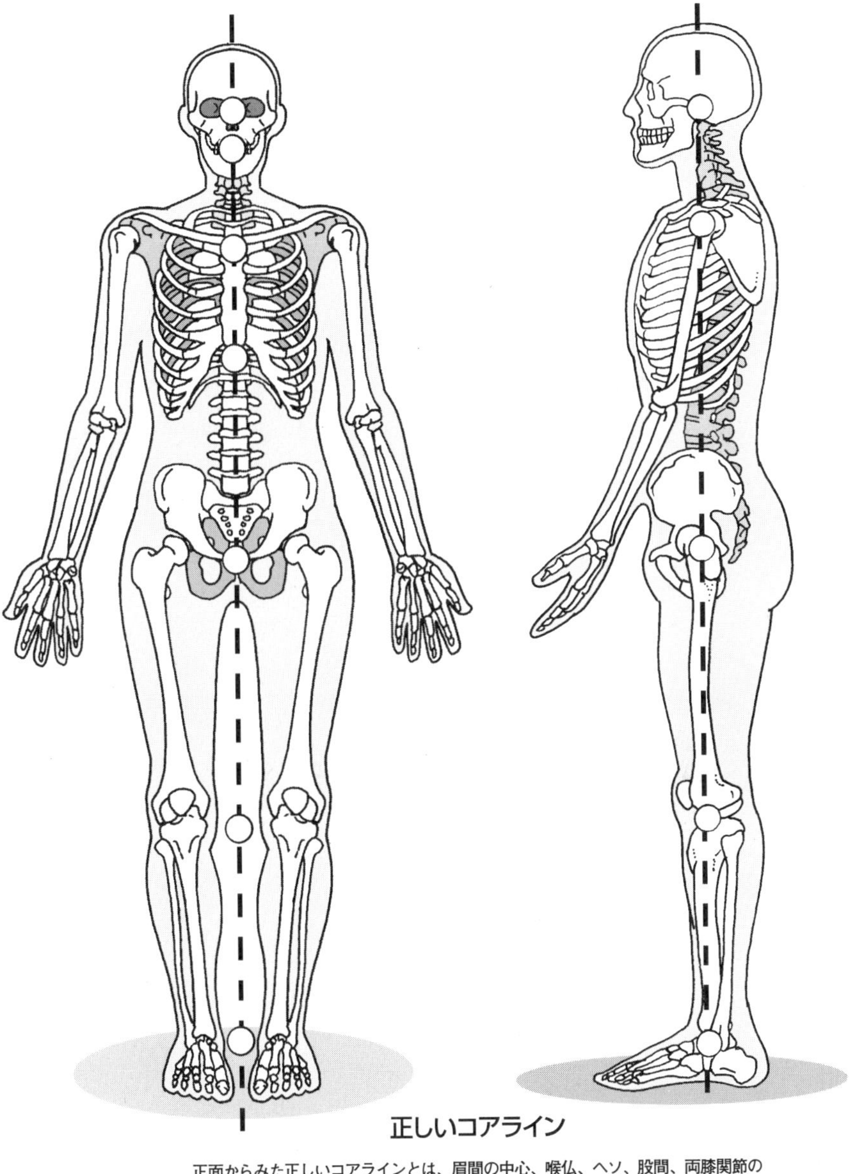

正しいコアライン

正面からみた正しいコアラインとは、眉間の中心、喉仏、ヘソ、股間、両膝関節の間、両くるぶしを通る6点を一直線にラインが通る姿勢。また、横からみると、耳の穴、肩、かかとのくるぶしより少し前の位置の3点を結ぶラインが一直線になる姿勢

軸さえ保てたなら、たとえ走っていても、もっとも負担のかからない状態で運動を行えることになります。重力に対してカラダを支えているのは、筋肉ではなく、軸（コアライン）ということになります。

重力がかかるということは、その重力に対して支えるチカラが必要になります。でなければ、前屈《かが》みになった時点で、人は倒れてしまいます。前屈みになって足裏以外にも重力がかかれば、人は自然と筋力（この場合はおおまかにいえば背筋や脚の筋肉を使い姿勢を立て直しながら）で重力に対抗していることになります。つまり、重力に対してカラダを支えるために筋力をムダに使わざるを得ないのです。

こう考えたとき、姿勢がもたらす影響がいかに大きいかが理解できます。

前屈みで立っているだけで、無意識に人はカラダを支えるために筋力を使ってしまっている—。この事実は、紛れもないものです。

筋肉のチカラがまったく同じだったと仮定して、重力に対してまっすぐな姿勢を保った人と、そうでない人を比べたら、明らかに、前者の方が持ち前のチカラを発揮できる状態であるのです。前者は運動するためだけに100%の筋力を使えるからです。

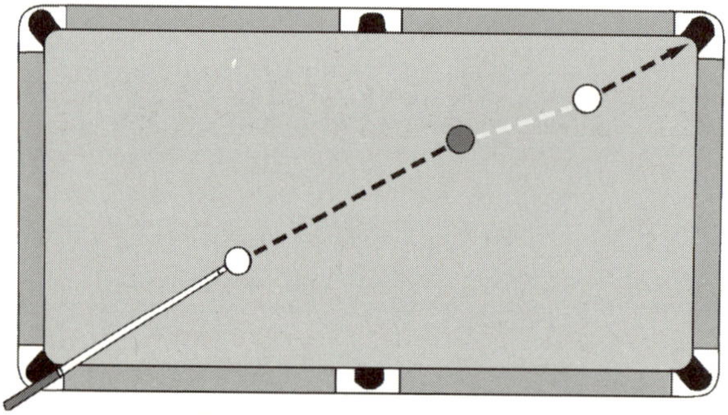

前ページのようにラインがまっすぐでないと可動する点と点が屈折してつながることになり、ビリヤードの球を間接的にあてててチカラを伝えるのと類似している

コアラインの2つの観点

それでは、理想的なコアラインをつくるために必要な観点をみていきましょう。

ひとつは、“骨盤の傾き”です。

これを理解するには、ヒトが2本足で歩きはじめたことで進化した、3本の大きな靭帯について触れていく必要があります。4本足から2本足になった人間が、カラダを支えるためにどのように進化していったのか。一緒にみていくことにしましょう。

そして、もうひとつは、カラダの3つの軸、左右軸（X）、垂直軸（Y）、前後軸（Z）です。自分がいまどんな姿勢をしているのかをチェックし、どう矯正すれば理想の軸に戻せるのか。具体的にモデルを例にして、わかりやすく解説してみようと思います（→第2章 コアラインをつくる）。

この2つ観点を経て、はじめて理想的なコアラインをつくることが可能となります。

コアビリティトレーニングを行ううえで、不可欠なコアラインの確立。より高い効果を得るためにも、この2つの観点を完全に理解することが大切です。

それでは、具体的にひとつずつみていきましょう。

支持靭帯と骨盤の傾き

“骨盤の傾き”についてお話ししましょう。

そもそも、ヒトは二足歩行になったことにより、それまで四足歩行の動物と異なった靭帯構造を持ちました。

股関節部を構成する骨盤と大腿骨（太ももの骨）は3つの靭帯の間で保たれています。専門用語でいうと、腸骨大腿靭帯（A）、恥骨大腿靭帯（B）、座骨大腿靭帯（C）の

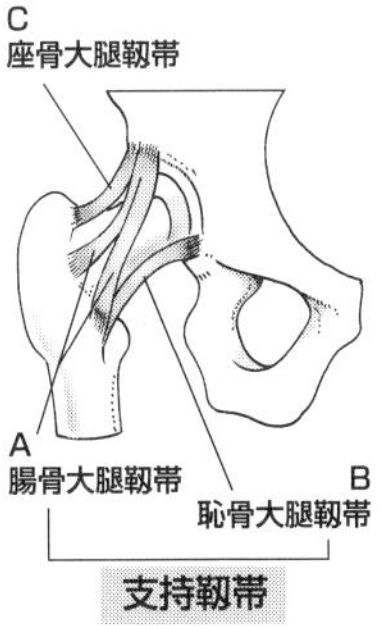

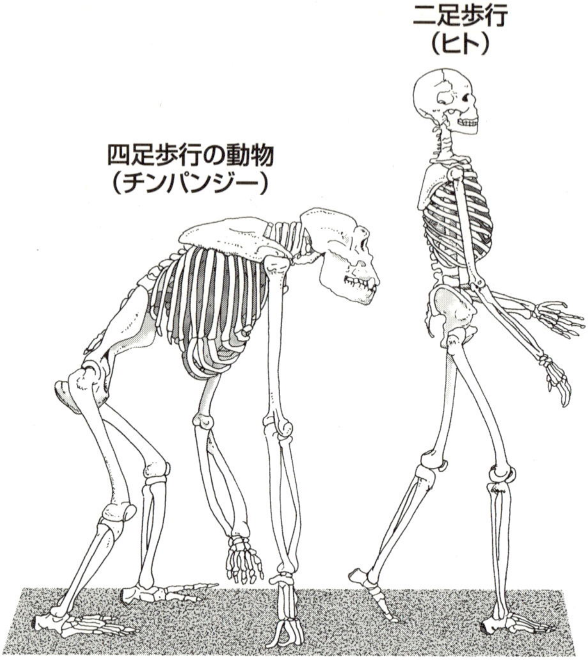
四足歩行の動物
（チンパンジー）
二足歩行
（ヒト）

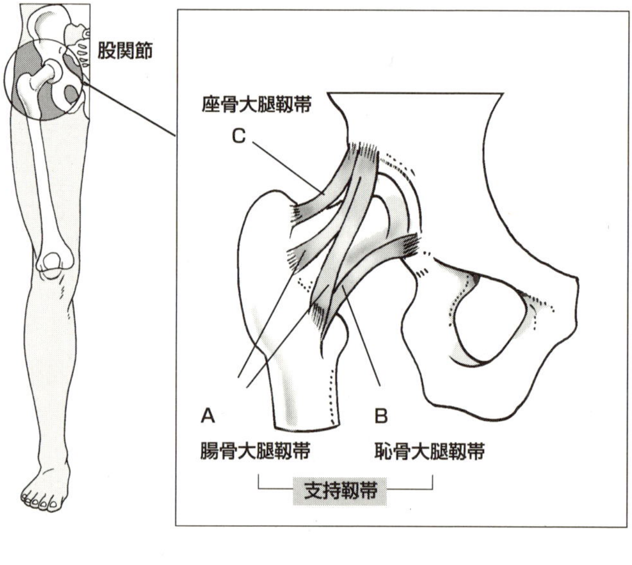
股関節
座骨大腿靭帯
C
A
B
腸骨大腿靭帯
恥骨大腿靭帯
支持靭帯

3つです。この中で股関節前方に位置しているのは、A、Bの2つです（股関節後方に位置しているのがC)。この股関節前方を支持しているAとBを合わせて、ここでは“支持靭帯”と呼ぶことにします。

それぞれの靭帯が、ヒトが二足歩行に移行していく間にどのように進化していったかといえば、四足歩行では体重を支持する際、実はこれらの靭帯自体が股関節部を支持する能力は、あまり高くはありませんでした。したがって、靭帯自体が細く、ゆるかった。ところが、補助的役割を果たしていた二本の手の支持を徐々になくしていくことで、二足歩行へと変化し、骨盤を中心にカラダ（上体）を支持するようになったとき、この骨盤前方に位置するA、Bの靭帯は急激に発達し、支持靭帯としての役割を果たすようになったのです。事実、腸骨大腿人体は、関節をつなぐ靭帯の中でもっとも強いのです。

つまり、支持靭帯（A、B）は、股関節部で骨盤と大腿骨を繋ぐ役割に加えて、カラダを安定させる役割をも担ったのです。

靭帯は元々は、骨と骨を繋ぐのが役割ですから、仮にこれが機能しなくなったらおおごとです。

スポーツマンであれば、膝の「前十字靭帯断裂」や足首の「外側部分の靭帯断裂」など、スポーツ傷害を経験した人も少なからずいるでしょう。靭帯はいったん切れたら、軽度でも膝や足首はグラグラになり、その部分を使う運動はできなくなります。なぜなら関節は、ほぼ靭帯で固定されているからです。つまり、部分的には“支持”するために最初からつくられているのです。

しかし、上体と下肢をつなぐ支持靭帯は股関節部を支える働きを担うようになりました。

よりよく生きるために前脚を手として使うようになり、その結果の産物とはいえ、この靭帯が進化しなければ、いまだに私たちは四足歩行で歩いていたかもしれないのですから、やはり人類にとって画期的なことだったのです。

大腿四頭筋

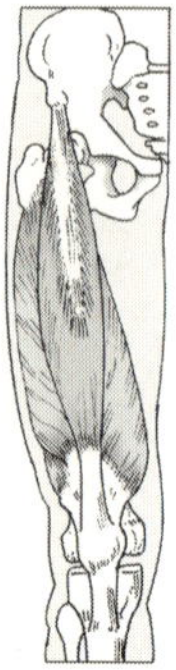

大腿二頭筋

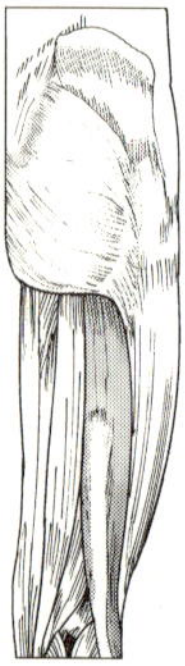

ただ、支持靱帯によって、股関節を安定させ、カラダを支える支持器官として機能させるためには、ある条件が必要でした。

その条件というのは、“骨盤が後ろに傾くこと（＝骨盤後傾）”だったのです（サルは骨盤が前傾）。

股関節を支える支持靱帯は、骨盤が後ろに傾いて、骨盤の重心が股関節の真上に乗ったときに、最大の緊張を起こすようにつくられていて、この状態こそが股関節にもっとも高い安定を生み出します。

また、股関節が支持靱帯によって安定することで、脚前部の筋群である大腿四頭筋や後ろのハムストリングス（大腿二頭筋など）のチカラが抜けて、本来の蹴る、伸ばすチカラを出すためだけに、筋肉が活動し、発達させることができるようになります。

腸骨大腿靱帯と恥骨大腿靱帯の2つの“支持靱帯”の持つ能力を利用して、いかにムダに筋肉を働かせずに、リラックスした状態にできるか。そこが「速く走る」うえでは、運動能力を向上させる重要なポイントなのです。

理想の位置

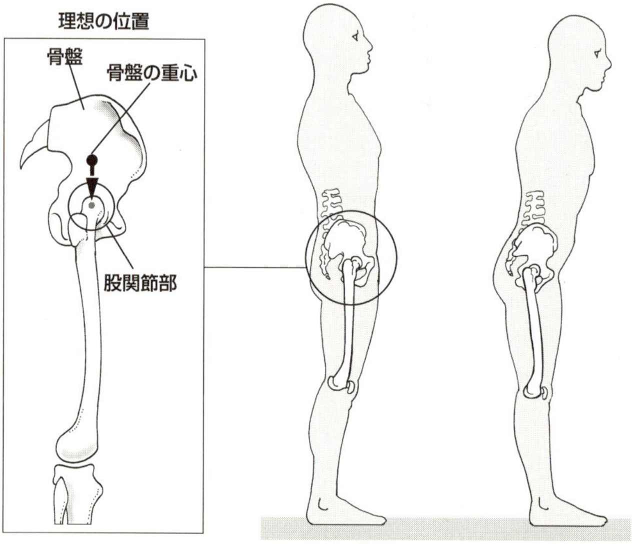

骨盤＝後傾　　骨盤＝前傾

骨盤“後傾”と走り

試しに、「骨盤の傾き」と運動を結びつけて考えてみましょう。

この本のテーマである「走る」という動作は、股関節を回転させることで可能になります（股関節＝骨盤と大腿骨との関節部）。したがって、速く歩くためには、なによりも「股関節をどうしたらうまく回転できるか」を考えなければいけません。

そのためには、大前提として、股関節部で骨盤と大腿骨をつなぐ支持靭帯（腸骨大腿靭帯と恥骨大腿靭帯）の働きを最大限に活用しなければなりません。

いいかえるなら、支持靭帯を緊張させ、股関節部を安定させることで、はじめて効率のいい股関節の回転が行えるわけです。股関節の土台となる骨盤の支点となる部分が前傾し、支持靭帯がゆるんだままでは、うまく回転できずに働きを失ってしまいます。

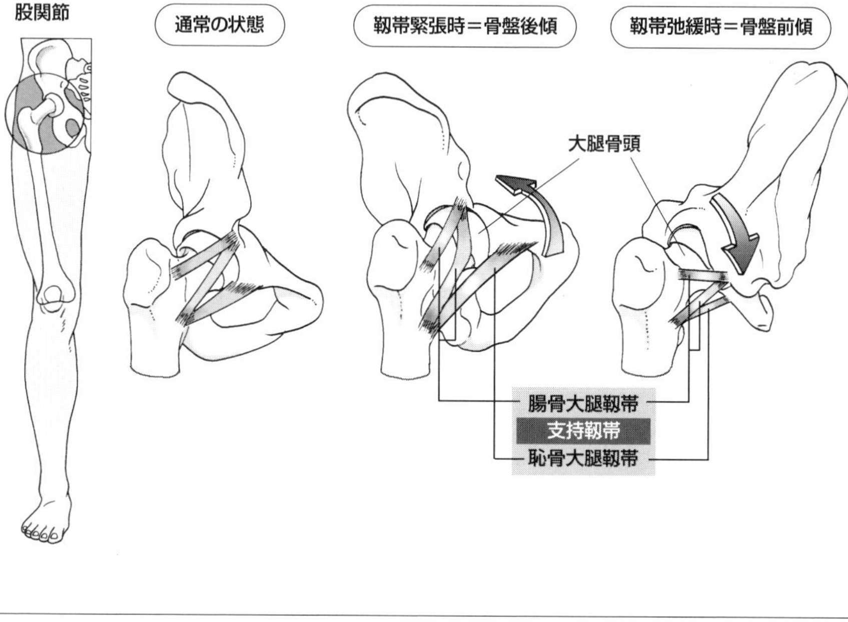

400mを全力で走り抜いても上体は常にまっすぐ伸びていたマイケル・ジョンソン

私が走りの理想型と考えるスプリンター、マイケル・ジョンソンは、やはり、骨盤を後傾させて、腰椎の中ほどから背中にかけて（ヘソの辺りから胸）を前方に押し出すようにして、地面に対して垂直のまっすぐな姿勢で、トラックを駆け抜けました。

股関節を安定させてリズムよく回転させ、驚異的なピッチで走る姿は、まったくといっていいほどムダな力みを感じさせませんでした。引退したことが惜しまれるほど、彼は私たちに理にかなった走りを披露してくれました。

彼のフォームほど顕著でないにしても、世界レベルのトップアスリートの中で、骨盤を後傾させていない選手は、まずいないと考えるべきでしょう。

一方、いわゆる典型的な日本人系身体形態タイプによくみられる走り方は、私には、骨盤を過度に前傾させて、支持靱帯をゆるめようとしているようにみえます。これでは、いくら一生懸命に下半身のチカラを出そうとしても、支持するための靱帯をゆるめているのですから、股関節が安定せず、グラグラした状態となり、出力したチカラは100%地面に伝わりません。

いくら体幹を鍛えて“コア”をつくったつもりでも、骨盤が前に傾きすぎていたとしたら、股関節は安定せずに、生み出されたチカラは逃げてしまっているのです。

腰は回るのか!?

“骨盤後傾”はカラダを回すことにおいても、重要な役割を担っています。

ゴルフを例にとりましょう。ゴルファーのお手本ともいえる、あのタイガー・ウッズがどうやってスイングしているかというと……そう、やはり、骨盤を後傾させて、腰椎の中ほどから背中にかけて（ヘソの辺りから胸）を前方に押し出すようにスイングしています。こうすれば、先ほどと同様に、支持靱帯である腸骨大腿靱帯と恥骨大腿靱帯は緊張し、股関節は安定します。安定した股関節を基にして、上体を回旋させると、自然なフォームでスイングできるようになります。

このようにタイガー・ウッズも決してお尻を突き出すわけではなく、ヘソを出すようにして腰から背中にかけて上手に“ねじれ”をつくっている

ただ、誰もがタイガー・ウッズになれるわけではありません。

アマチュアゴルファーの方で、クラブを手にして意気揚々と振るときに、よく腰を回転させて打とうとしている人がいます。腰椎と骨盤の間のつけ根部分から、背筋で伸ばすようにして、骨盤を前傾させすぎている場合が多く、それでは股関節はうまく使えず、もちろん腰もスムーズに回りません。「腰を回して、手打ちにならないように」。どうやら、こうした熟練者のイメージした言葉が、そのまま言葉どおりに伝わっているからだと思われます。

万が一、本当に「腰を回す」と考えている指導者がいたなら、いまからその考えを改めてもらいたいものです。

では、腰を回すことのできる角度はどれくらいか。

腰の骨、つまり、背骨の下の方の「腰椎」と呼ばれる5つの椎骨の重なりは、全部合わせて左右に5度ずつ可動し

腰椎のおもな役割は、左右5度ずつしか回らない回旋ではなく、前屈、後屈、側屈にある

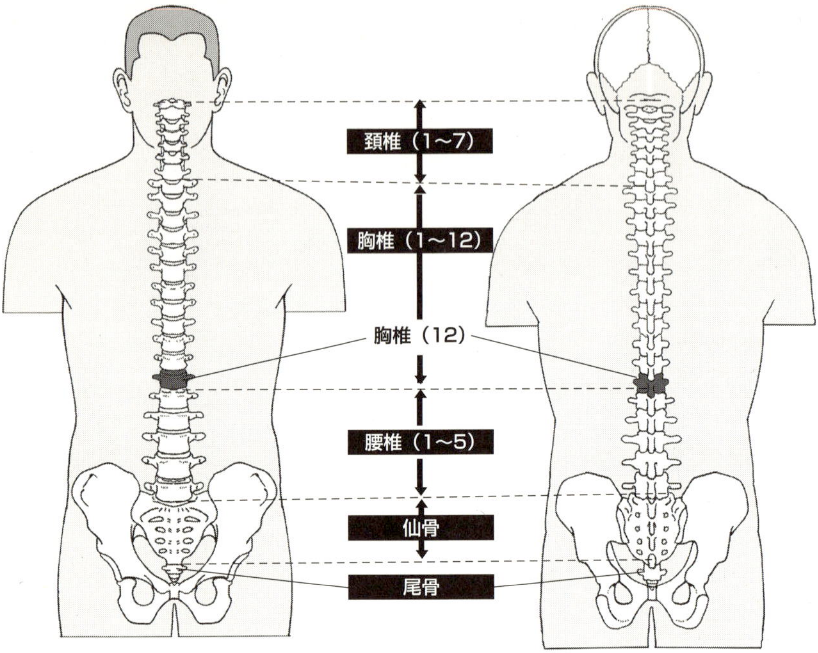

脊柱には、図のように上から、頚椎（1〜7）、胸椎（1〜12）、腰椎（1〜5）、と、仙骨（1）、尾骨（3〜5）がある

ます。いや、5度ずつしか可動しません。左右合わせてもわずかに10度。ですから、腰を回して左右にカラダを大きくスイングすることなどできるはずもなく、言葉どおりに「腰を回す」という動作が、物理的に不可能であることが理解できます。

回っているのは、腰（腰椎）の上にある「胸椎」と呼ばれる脊柱の一部分です。

胸椎は12の椎骨からできていて、回旋能力が高いことで知られています。その中でも特に腰椎の最上部と接している胸椎12番は、上体を回すうえでもっとも大きな役割を果たしていると考えられています。

可動範囲は本来、各関節の回旋の動きを全部あわせて左右約70度（各35度）。腰椎の7倍の可動域です。この胸椎12番をはじめ胸椎全体が回ることにより、上体をねじって、ゴルファーはスイングしているのです。つまり、何らかの理由で固くなっている胸椎の回旋能力を股関節の働きと

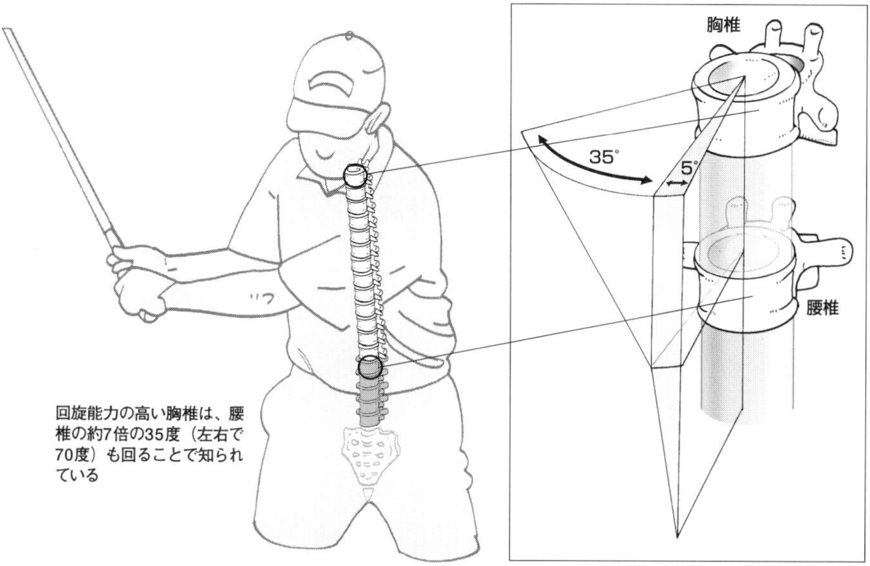

回旋能力の高い胸椎は、腰椎の約7倍の35度（左右で70度）も回ることで知られている

ともに高めれば高めるほど、それに比例してカラダの回旋能力も上がり、結果として、たとえば、ゴルフのスイングもスムーズになって、安定した状態で可動域が広がるわけですから、ショットの飛距離も伸びる。ですから、特に年齢の若いうちは肋骨自体もゆるく柔らかいため、胸椎が可動しやすい、ということになります。

逆に、運動不足や老化のため胸椎の回旋能力が低くなるとともに、日本人系身体形態タイプの場合、膝を下半身部の動きの中心（アンクルリフレクション）としてしまっているので、股関節部の働きも低下しやすくなってきます。結果として、無理して腰（腰椎）を回そうとするため、腰痛が頻発することになります。

例えやすいのでゴルフのスイングを例にあげましたが、もちろん、「走る」という運動においても、上体の回旋は欠かせない要素なのです。胸椎12番を中心とした胸椎の回旋効果については、のちほどより詳しく説明することにします（→第4章 超走のコツ）。

体幹部分の回旋角度は、それぞれは、腰椎が10度（同）、胸椎が70度（左右に35度ずつ）。ちなみに、頸椎は最大で100度（左右に50度ずつ）

有酸素運動を行わないと、強い呼吸動作を行わないために、肋骨全体が固くなってしまう。その結果、肋骨の幹となる胸椎の可動性も低下してしまう。また老化により肋軟骨部が硬くなることがあげられる

骨盤後傾と「ヒップリフレクション」

ここで今一度、"骨盤の傾き"の話に戻しましょう。

骨盤は前傾すればするほど、支持靱帯の代わりに、まずハムストリングスがカラダを支持します。さらに骨盤が最大に前傾すると、臀筋群まで活動して前へと倒れてしまわないようにブレーキをかけます。ハムストリングスや臀筋群というのは、後ろに足を引っ張るための筋群ですから、走るために欠かせない筋群。これらの筋群をカラダを支持するためにムダに使ってしまったとしたら、脚を後ろに蹴り出すチカラは、半減してしまうことになるのです（過度に前傾しすぎた場合では、ヒザを曲げる代償性運動でカバーしてしまいます）。

悲しいかな、これが典型的な日本人系身体形態タイプの傾向です。

見た目でも、お尻と太ももの後ろの境目がなく、のっぺりしている人は、まさにこのタイプといえます。しかし、骨盤後傾気味（立腰状態）を意識して、この後で行うトレーニング（→第5章参照）を実践することによって、必ずやカラダは徐々に変化をみせますから、たとえ自分が当てはまっていると思う人でも、根気よく続けてください。

骨盤を後傾気味（立腰状態）にすることによって、臀筋群とハムストリングスで体重を支えなくてよくなり、それらの筋肉が運動のためだけに使われはじめると、お尻を使って歩けるようになります。前作で書いた「ヒップリフレクション」（臀部の働きを中心とした運動状態）です。

「ヒップリフレクション」の典型でもあるアフリカ系身体形態タイプの人のお尻は、何かモノがおけそうなくらい出っ張っています。みなさんの中にも、「あんなヒップアップした体型になりたい」と思う人は、少なくないかもしれません。

　お尻が出ているぶん、見た目は骨盤が前傾して見えますが、実際には後傾しています。なぜ前傾してみえてしまうかというと、臀筋群でカラダを支える必要がなく、臀筋群は運動に多く使われることになり、使うことによって、大きく働くことで発達しやすくなったからなのです。

　でも、日本人系身体形態タイプの場合は、骨盤を後傾させるだけで、すぐに「ヒップリフレクション」ができるかといえば、それは否です。

　このタイプの場合、骨盤後傾させると猫背になりがちです。これでは股関節によって下半身は安定しても、背中が丸まるわけですから、この姿勢ではもちろん、コアラインをつくることは叶いません。

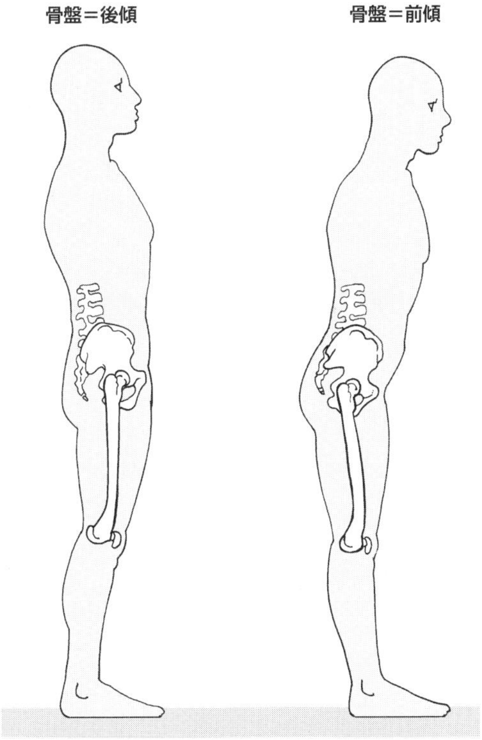

　では、日本人系身体形態タイプにとっても、全身の筋肉を使わずに完全にリラックスした状態にもっていくためには、骨盤後傾以外に何が必要なのでしょうか。

　先ほどのマイケル・ジョンソンとタイガー・ウッズの話を思い出してください。骨盤後傾以外にある動作を行っていましたよね。何でしたか？　そう、走るとき、スイングするときに「腰椎の中ほどから背中にかけてを前方に押し出す」ことでした。

　これは具体的にいえば、「腰椎の3番を基点として上体を前方に押し出す」こと。腰椎の3番の前にあるのはヘソです。つまり、ヘソを前に押し出す感じで、ジョンソンは走り、ウッズはスイングしているのです。

答えを先に書いてしまいましたが、この「腰椎の3番を基点として上体を前方に押し出す」ことこそが、骨盤後傾と表裏一体の条件なのです。これができずして、理想的な「ヒップリフレクション」は不可能です。

腰椎3番の役割と重要性

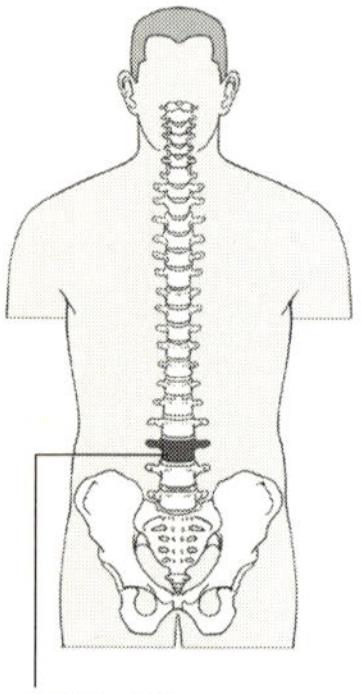

腰椎（3）

ここで腰椎を含めた脊椎の構造について、少し説明しましょう。脊柱は、椎骨（体）と呼ぶたくさんの骨を、縦に積み上げるような形で構成されています。

これらの骨は1本の棒状には並んではおらず、前後に少しずつずれるような形で積み上げられ、横から観察すると大きなカーブを描くような形をしています。

このゆるやかに描かれるカーブのことを一般に、「生理的彎《わん》曲」と呼んでおり、前に彎曲する形をとっている頚椎と腰椎部、後ろに彎曲する形をとっている胸椎、仙椎部と呼ぶ計4つのカーブが存在しています。

少しずつ骨同士をずらしあうことで、一部の骨だけにチカラがかかり過ぎないように、チカラを調節しながら分散させ、逃がす働きを持っています。

その中の腰椎というのは、上から1番〜5番までありますが、中間の3番だけは天地が平行で、あとは骨の前の方が大きく後の方につれて小さくなるというくさび形になっています。また、腰椎の5つの椎骨の中で、腰部彎曲と呼ばれるカーブの頂点にもなっています。

ちなみに、腰椎3番目は、上からは脊柱起立筋と呼ばれるカラダを立て起こすために働いている筋肉の一部である棘筋、また腰椎の下の仙骨の部分から、脇の方にきている、カラダを左右に回すために必要となる広背筋の始点の一部になっていて、腰椎3番より下の腰椎（4番と5番）が、仙骨と強く連結され固定されていることからも、この腰椎3番が、腰部でもっとも可動性を持っているといわれています。

結論として、上下からのチカラをロスなく安定して伝えるられるのは、腰椎の中でも構造上、この3番だけなのです。この3番を床に対して平行になるように機能させ、チカラを発揮する方向に垂直にうまく上下からの力を伝達できれば、理論上、腰椎を通したチカラのロスは起きないことになります。

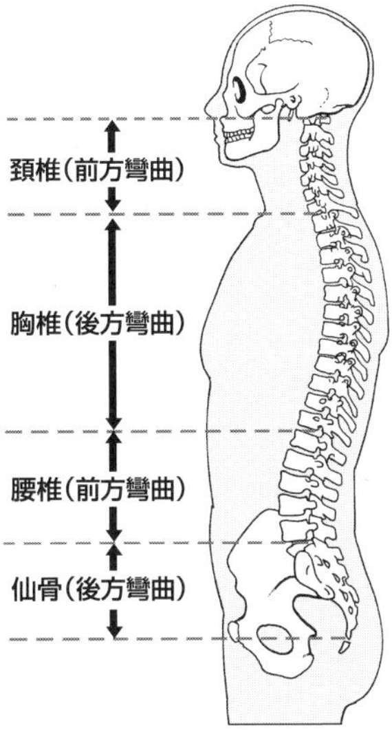

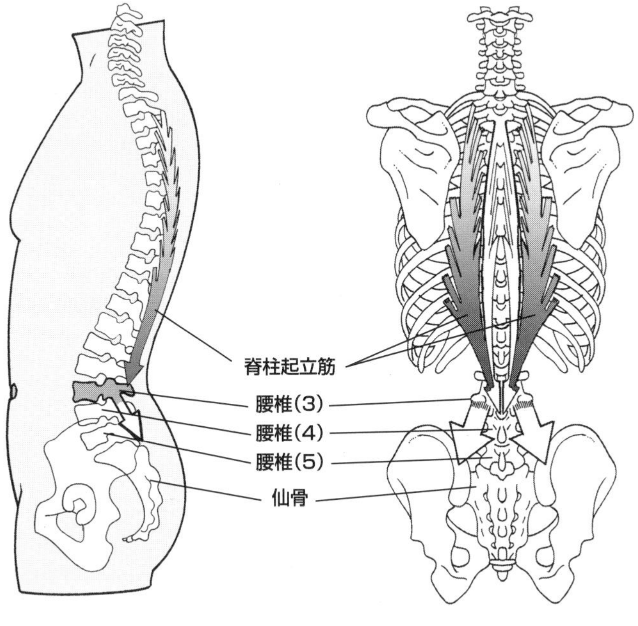

超走コラム

「肩こり」を引き起こす“前かがみ姿勢”

肩こりの原因のひとつにあげられるのが、カラダの過度な前傾姿勢です。

カラダが前傾すると、自然と背中の肩甲骨は後ろに反ります。これは「カウンターモーション」といって、前のめりになったカラダのバランスを取ろうとして、腕が後ろにさがります。しかし、腕を後ろに引くと肩甲骨に対し腕がロックした状態になり、それ以上後ろに腕を引くことができなくなります。腕は行き場所がなくなるため、行き場所を求めて肘が曲がり上方に上がろうとします。上がろうとしても、それ以上は上がれない。だから、肩甲骨を含む肩全体を上げないといけなくなるのです。その際、使う筋肉が僧帽筋です。

「肩こり」の原因のひとつは、この僧帽筋が緊張するために生じているのです。逆にいえば、横からみてカラダがまっすぐか、後傾していれば、カウンターモーションが前で起こるため、肩や腕がロックすることもなく、ましてや僧帽筋を使うことはありません。つまり、この状態では姿勢による肩こりはなくなるという理屈になります。ですから私は腰などに負担の少ない、中間位を勧めています。

カウンターモーション

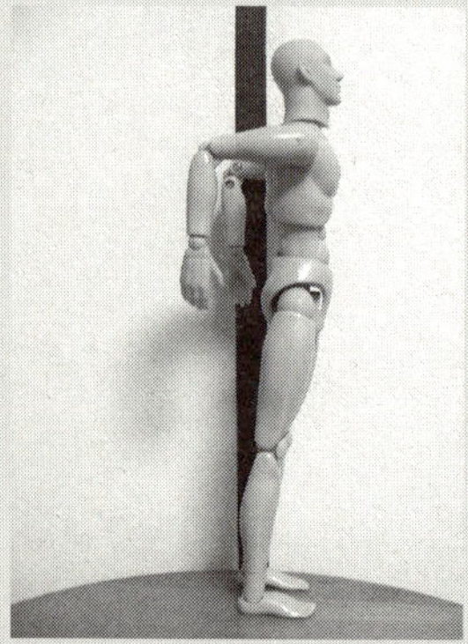

カラダが前傾することによって腕はカラダよりも後ろで行き場をうしない僧帽筋を使うことに

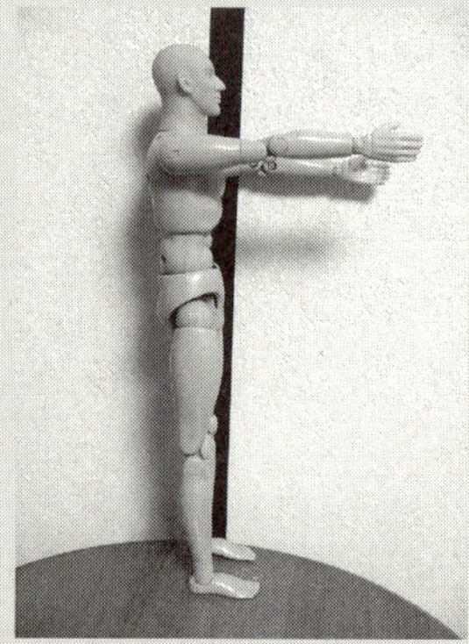

カラダが後傾することによって腕はカラダよりも前で振られるため僧帽筋は使わない

第2章

コアラインをつくる

アンバランスが引き起こすマイナス連鎖

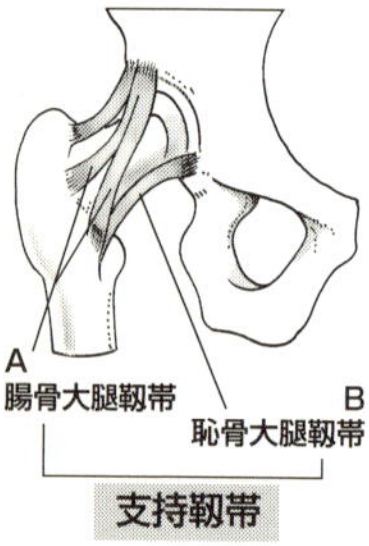

ヒトが持つ人体構造的な必然に基づく「骨盤後傾」（立腰状態）が理解できたなら、次は、カラダの持つ3つの軸に触れながら、それぞれの軸を矯正（コアラインをつくる）していきたいと思います。

「骨盤後傾」を説明する際にも書きましたが、本来、ヒトは骨盤を支える靭帯（腸骨大腿靭帯と恥骨大腿靭帯）だけで、カラダを支持できる構造を持っていますが、骨盤が前傾しすぎたり、カラダの左右のバランスが取れていないと、靭帯だけでカラダを支持できず、筋肉まで使うため、筋肉は絶えずチカラの入った状態になります。

カラダのバランスが悪ければ悪いほど、バランスを保とうとするためにチカラを入れなければならないため、せっかく運動に使おうと思っている筋力が、どんどん削がれていきます。

さらに、筋肉に絶えずチカラが入ることによって、筋肉の負担が増えてケガの誘発原因となり、体力も消耗するために呼吸も上がり、より疲れやすくなります。呼吸が上がれば、集中力も低下し、逆に、緊張は高まって、メンタルにも影響が出てしまいます。こうしたマイナス連鎖が、最終的にパフォーマンスが上がらない、という結果につながるのです。

カラダのバランスひとつで、繋がってしまうこれだけのマイナス連鎖。だからこそ、きちんとした正しいコアラインをつくる必要があるのです。

軸が確立され、バランスが改善されたなら、チカラのロスは減少し、ケガに悩むことなく、疲れ知らずで集中力も持続します。メンタルにも好影響がもたらされることになるでしょう。

カラダのバランスが引き起こす現象

バランス（改善前＝悪）	バランス（改善後＝良）
↓	↓
余計なチカラの発生	チカラのロス減少
↓	↓
ケガの誘発	ケガの減少
↓	↓
体力の消耗・呼吸難	体力の持続
↓	↓
疲労増	疲れ減少
↓	↓
集中力低下	集中力持続
↓	↓
メンタルにも悪影響	メンタルにも好影響
↓	↓
パフォーマンス低下	パフォーマンス向上

“姿勢”の持つ意味

コアラインをつくることは、“姿勢”を矯正することと同義です。

“姿勢”を英語に訳すと、「ポスチャー（Posture）」ですが、意訳してみて「アライメント（Alignment）＝整列」でしょうか。

「合気道の科学」1990年初版より。吉丸慶雪氏は合気道団体「合気錬体会」の総師範

合気道の権威、吉丸慶雪氏は“姿勢”を「『姿』に『勢い』がある状態」と定義していますが、これを読んだとき私も思わず「なるほど」と感心し、納得しました。

漢字の持つ意味をひとつひとつ分けて考えればいいだけの話ですが、読んでみてすんなりと飲み込めたのは、“姿勢”と

“姿勢”を「姿」に「勢い」のある状態、と定義する合気道の吉丸慶雪氏。合気ならではの発想かもしれない

いう言葉が、単純に英訳できない種類の単語であって、この言葉ははじめから、動くことを前提にしている、という点です。
　安定した姿勢も大事ですが、動く姿勢も同様です。まさに静と動であって、静＝力みのないリラックスした状態であり、動＝筋肉のチカラを100%出せる状態なのです。

大別される右利き腕タイプと左利き腕タイプ

ケガやからだの不調などがある場合では、この限りではない。逆に、ここに説明するカラダの歪みのパターンに当てはまらない場合は、医療関係者に相談のこと

　カラダの歪みというのは、利き腕や利き脚の作用を大きく受けているため、一般的に、「右利き腕タイプ」と「左利き腕タイプ」に大別できます。
　タイプの傾向は、誰にでもすぐにチェックできます。
　それでは、右利き腕タイプのモデルを例にとって、チェックポイントをみてきましょう（左利き腕タイプは、すべて左右逆だと考えてください）。

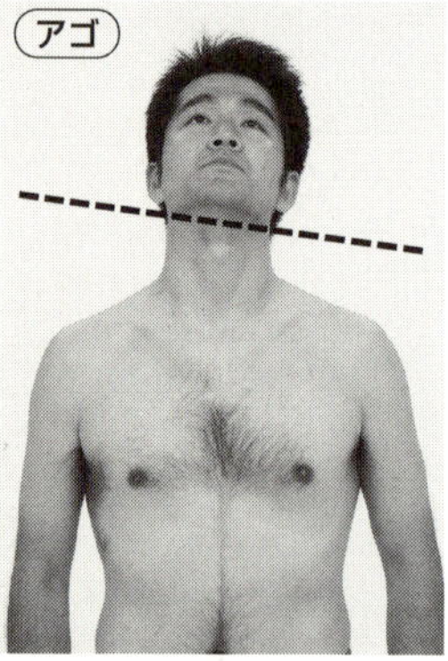

頭とアゴの傾きが、右上がりになっている

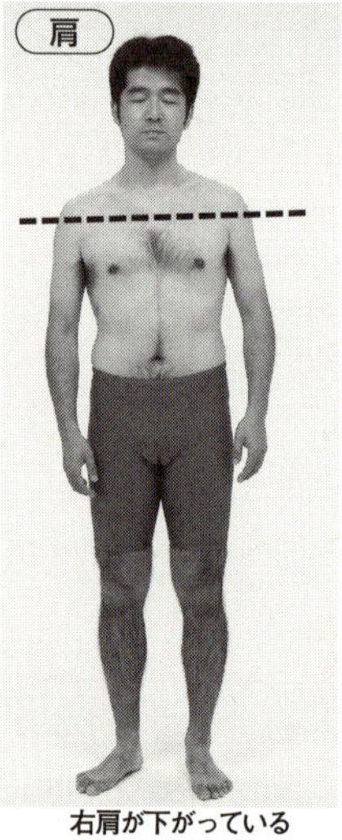

右肩が下がっている

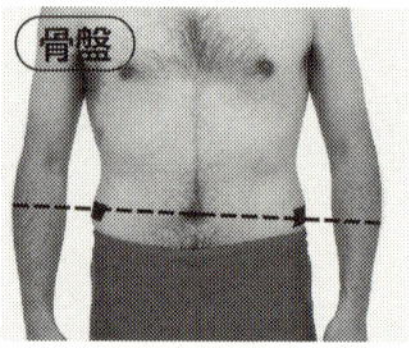

右骨盤が上がっている

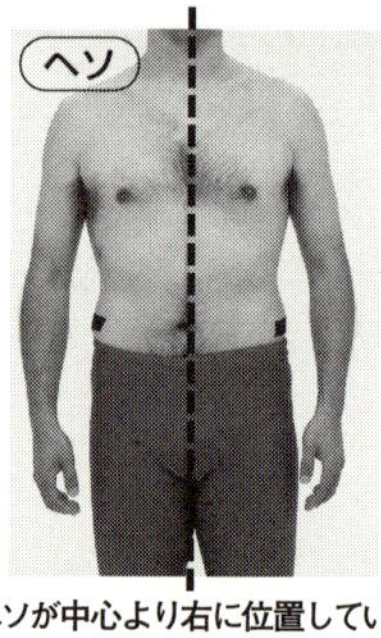

ヘソが中心より右に位置している

まず、正面からカラダ全体をみてみると、

・頭とアゴの傾きが、右上がりになっている
・右肩が下ががっている
・右骨盤が上がっている
・ヘソが中心より右に位置している

などカラダの歪みの特徴が現れています。このほかにも、

・何気なく立った際に右足が後ろに引き気味になる
・左足の長さが短く感じる
・左足に体重が掛かりがちだ

などの自覚症状でも、歪みはわかります。
また、後ろからみてみると、

・背中の右半身に比べ、左半身の筋肉が小さく痩せている
・右のお尻の丸みとトップが下がっている
・右のお尻に比べ、左のお尻の筋肉が小さく、痩せている
・右のお尻に比べ、左のお尻が上下ふたつにわかれている

などの特徴が現れていたなら、アナタのカラダは典型的な右利き腕タイプであり、歪んでいるといえるでしょう。
そのほかの自覚症状としては、

・左肩から首にかけての筋肉が凝りがちだ
・右足がつまずきがちだ
・右肩にショルダーバッグをかけるとよく落ちる
・足を組むときに右足が上になる
・あぐらをかくと、左膝が浮きがちになる
・立って「休め」の状態をとると右足軸では落ち着かない

などがあります。

こうした症状においては、強く働きすぎている筋肉が存在しています。カラダが歪んでいるといっても、骨自体が歪んでいることは稀で、そのほとんどが筋肉の働きによるものなのです。

この場合、おもに強く働きすぎている筋肉は、

①右背中側から右骨盤までの筋肉

➡ 広背筋、腰方形筋、脊柱起立筋下部 ［088㌻］

②左横のお尻の筋肉

➡ 中臀筋、小臀筋 ［083㌻］

③右後ろ側のお尻の筋肉

➡ 大臀筋 ［080㌻］**、梨状筋** ［100㌻］

④左首から左背中側上部までの筋肉

➡ 僧帽筋（上部など）［096㌻］

⑤右前横面の脇腹の筋肉

➡ 内腹斜筋 ［090㌻］

⑥右太もも後側の筋肉

➡ 大腿二頭筋 ［117㌻］**、半腱・半膜様筋** ［120㌻］

⑦左太もも前側の筋肉

➡ 腸腰筋 ［078㌻］**、縫工筋** ［113㌻］

などの筋肉です。ストレッチしても硬く、突っ張ったように感じる筋肉です。もしかしたら、すでにケガが発生している部位かもしれません。

一方、この右利き腕タイプに属する人であれば、①〜⑦の筋肉の反対側の筋肉には、あまりケガや痛みは発生していない状態で、過去にもそうした経験は少ないはずです。

あまり履かない靴の底が急に磨り減ったり、たまにしか着ていない服がボロボロになることがないのと同じように、酷使していない筋肉も傷むことはありません。

カラダに歪みがあって運動を頻繁に行っている人の筋肉は、使われる部分が偏ることで集中的に負荷がかかり、ケガや痛みの原因を生んでいることになります。こうしたこと

を繰り返せば、反対側のあまり使われていない筋肉との差は、ますます広がり、ケガや痛みの誘発を加速させる結果となります。

こうした人は、カラダの歪みのない人と比べると、バランスよくカラダを使うこともできませんので、効率のよい運動とそれに伴うパフォーマンスの向上も思うようにはいきません。

ベテランといわれている選手には、特にこうした慢性的な筋肉偏重によるケガの多発、パフォーマンスの低下がみられがちで、「俺は、もう選手としての峠を越えたから、能力が下がってもしかたがない…」などと思い込み、あきらめている選手も少なくないはずです。

28年間のメジャーリーグキャリアでチームを渡り歩き、計324勝をあげ、“鉄人”と呼ばれたノーラン・ライアンはまさにトップアスリートの象徴だ

カラダの歪みからピーク時のカラダの動かし方ができなくなり、一時期は活躍したものの、その後はパッタリという選手を数えあげたら、キリがありません。

いくら過去に調子がよい状態があっても、その状態をできるだけ長期間維持できなければ、トップアスリートにはなれないのです。

こうした選手たちにとっては、歪みやカラダの癖を矯正し、本来の動きやすさをカラダに焼き付け直す（リ・プリンティング）が必要となります。これがコアラインをつくる、ということなのです。

次の項の矯正トレーニングを、常日頃の練習前やトレーニングの際に取り入れてみてください。徐々に正しいコアラインが形成され、調子を大きく崩してしまうことは少なくなり、ケガの発生を防ぐことにも繋がります。これは大変有益なプログラムになることでしょう。

運動能力の理想的な向上は、ケガなどを起こすことなく、質の高い練習を継続的に続けて行うことができて初めて可能となります。間違っても「一時がよければそれで善し」といったものではありません。

3つの軸のチェック

それでは今度は、実際にアナタの姿勢のチェックに入っていきましょう。

私はカラダの軸を3つに分けて説明しています。

Ⅰ.横方向の左右軸(X)、**Ⅱ.上下方向の垂直軸(Y)**、そして、**Ⅲ.前後方向の前後軸(Z)**を、それぞれ、X、Y、Z軸と考えています。

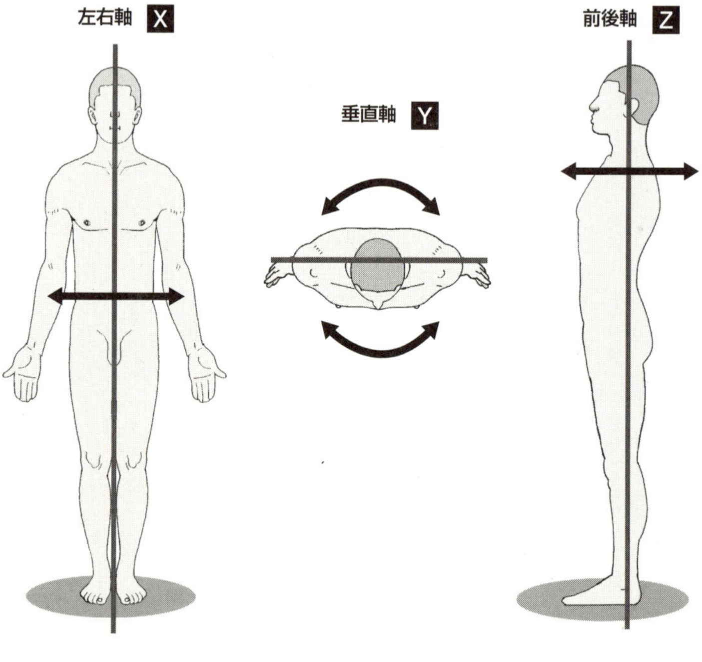

自分のカラダをみて、この3つの軸が歪んでいないかどうかをチェックし、そのうえで、各軸のバランスの異常を、正しいラインに矯正していくトレーニング（→第5章参照）に入りましょう。

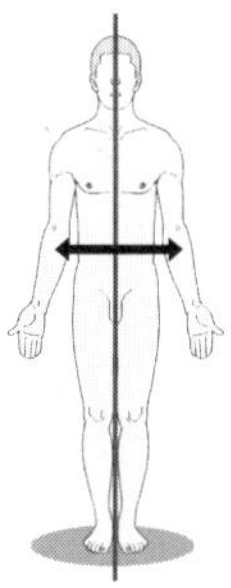

Ⅰ. 左右軸 — X軸のチェック

最初は、左右軸であるX軸です。

この左右軸が一番わかりやすいので、詳しく説明します。「静」姿勢と「動」姿勢で、順を追ってみていきます。

まず、「静」姿勢でのチェックです。チェックするのは以下の3カ所です。

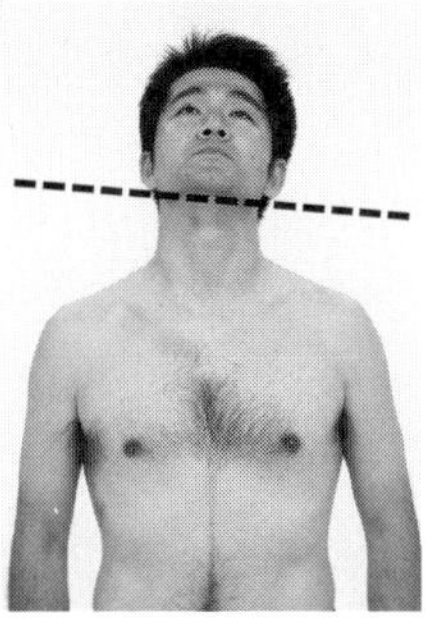

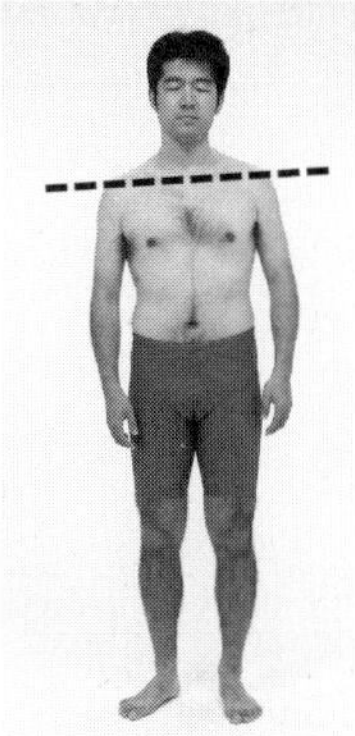

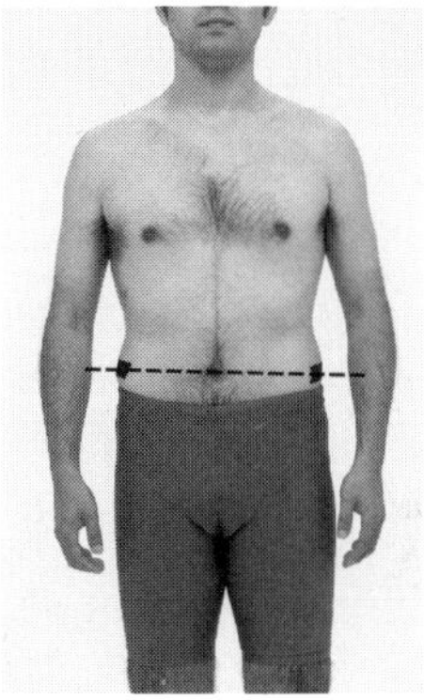

・頭とアゴの傾き
・肩の傾き
・骨盤の傾き（左右）

それでは、壁際で前を向いてまっすぐに立ってみてください。カカト、お尻、肩を壁につけ、全身のチカラを抜いてリラックスした状態をつくってください。

パートナーがいたならみてもらうのもいいですし、自分一人で行う場合は、ハンディカメラを固定させておくのもいいでしょう。

広背筋

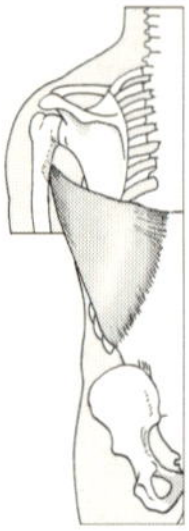

脊柱起立筋

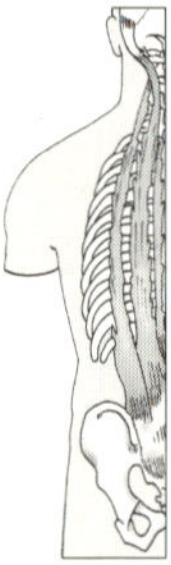

腰方形筋

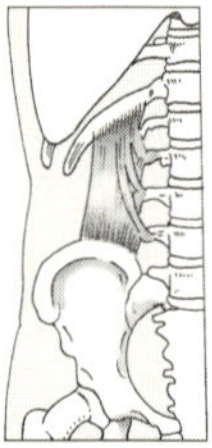

内腹斜筋

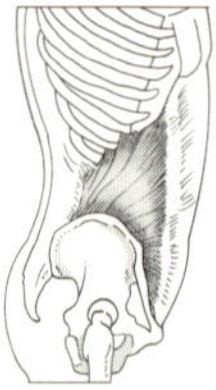

まず「頭とアゴの傾き」と「肩の傾き」です。

写真のモデルのような典型的な右利き腕タイプは、頭とアゴの傾きが右上がりになっていて、右肩は下がっています。その原因を改めてまとめると、

1. **利き腕側（この場合は右側）の背中の筋肉（広背筋や脊柱起立筋下部の筋肉群など）の働きが、その反対側の利き腕と逆側（この場合は左側）の筋肉の働きに比べて高いため、それぞれの筋肉のチカラや活動、筋肉の緊張などに差が生じてしまうため**

2. **利き腕側の腰周りの筋肉（腰方形筋や内腹斜筋など）の働き（この場合は右わき腹）が、その反対側の利き腕と逆側の筋肉の働き（この場合は左わき腹）に比べ高いため、それぞれの筋肉のチカラや活動、筋肉の緊張などに差が生じてしまうため**

などの原因があげられます。

次に、「骨盤の（左右）傾き」を確かめてみましょう。

このモデルは、右側が上がっています。こうしてみると、このモデルの上半身は、右のような台形をしていることがわかります。

右肩が下がっていて、骨盤は右が上がっている理由は、右脇腹の筋肉が収縮しているからです。しかし、このように

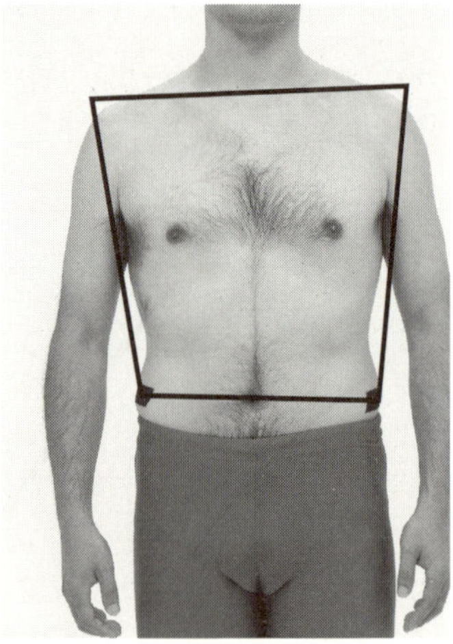

肩と骨盤を左右に結んだ台形ラインは、本来であれば上辺と下辺は平行になっていないといけない

目で見てすぐにわかるような傾きを引き起こすだけの筋肉は、そうはありません。原因として考えられるのは、体幹から体幹にくっついてる筋肉だけです。つまり、考えられるのは、脊柱起立筋の一部と広背筋と腰方形筋だけなのです。

いいかえれば、肩が下がっている原因は起立筋の一部と広背筋にあり、骨盤が上がっているのは腰方形筋の影響だといえるでしょう。モデルの右肩が下がっているのは、右側の脊柱起立筋と広背筋が強いからであり、右側の骨盤が上がっているのは、右側の腰方形筋の引っ張るチカラが強いからだ、と推測できます。

さらに骨盤の上下には、中・小臀筋の強さの差も関係しています。中・小臀筋が強いと骨盤が下がり、弱いと上がります。モデルは右側の骨盤が上がっているのですから、右側の中・小臀筋が弱いわけです。

さらにさらに、実は内転筋群も関わってきます。

骨盤が左側に下がっているということは、逆にいえば、左側の外にチカラが逃げやすくなっているわけですから、それを抑えよう、バランスをとろうと右側の内転筋を使っているのです。

モデルのような典型的な右利き腕タイプの場合は、右の起立筋と広背筋か腰方形筋、左の中・小臀筋、右の内転筋群が強い身体構造になっていて、それがカラダを歪めている原因でもあります。

ちなみに、左利き腕タイプの典型は、逆に、左肩が下がり、左の骨盤が上がっているため、強いのは、左の起立筋と広背筋か腰方形筋、右の中・小臀筋、左の内転筋、ということになります。

今度は、「動」姿勢でみていきましょう。

つま先をまっすぐさせて立ち、両手を真横に広げて、まず左足を伸ばしたまま真横に上げます。こうすると中・小臀筋の働きが顕著に出ます。このとき右側の中・小臀筋が弱い人は、カラダの抑制が効かないので、それを補ってバ

中臀筋

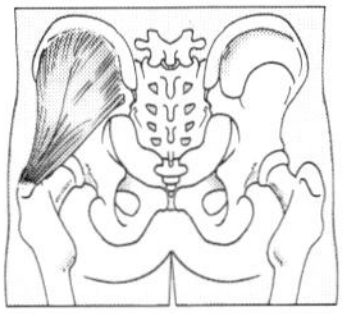

小臀筋

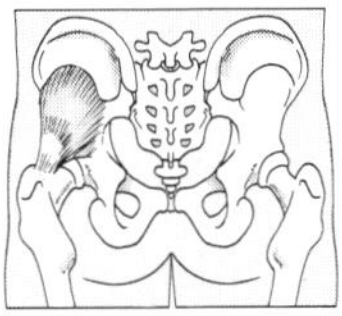

内転筋群

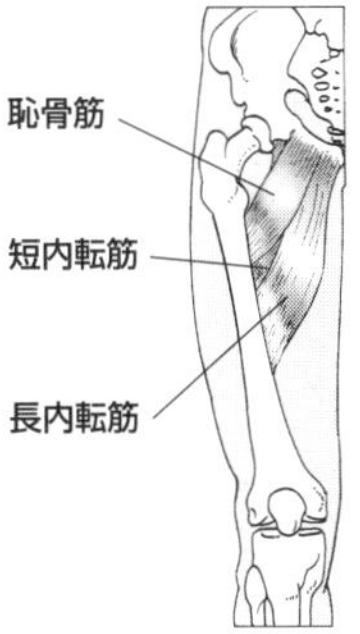

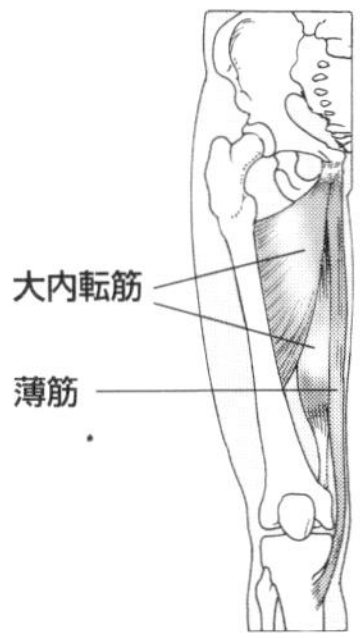

ランスをとろうとして、右側の臀部が支点となって、頭部が右側に出てしまいます。しかし、逆の左脚の場合では、頭部は内に残ります。

またイスに座ってみてもいいでしょう。頭の後ろに手を置き、姿勢を正したまま、左右の骨盤を持ち上げます。理屈は立った状態と同じです。この場合、右の骨盤が上がりやすくカラダも傾きが少ないため、脇腹の筋肉が強く、また同じ側の中・小臀筋は弱くなる傾向にあります。骨盤の傾きでどちらの臀筋が弱いかがわかります。

向かって左側（右の中・小臀筋）が弱いため
頭が右に出ている

向かって右側（左の中・小臀筋）は
しっかりとカラダを抑制している

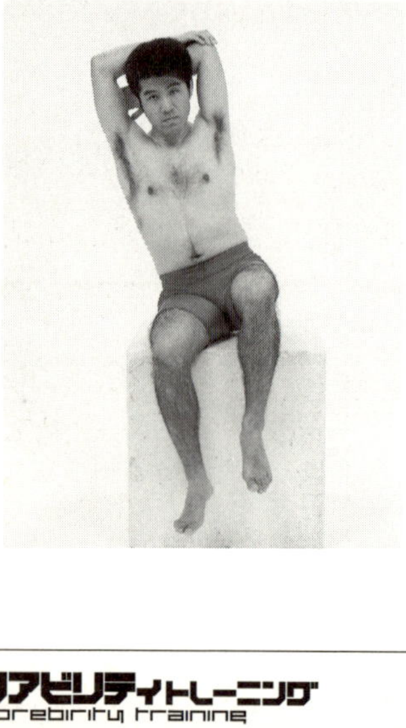

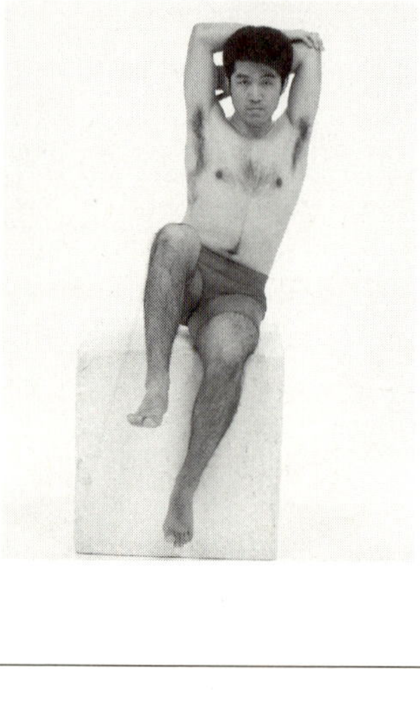

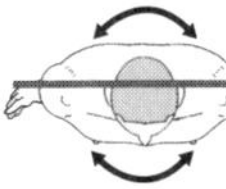

Ⅱ. 垂直軸 ― Y軸のチェック

次は、垂直の軸であるY軸です。このカラダの“ねじれ”の原因となる筋肉のひとつに腸腰筋があります。

腸腰筋の“ねじれ”は正面からみたカラダの中心軸（正中ライン）での「ヘソの位置の偏り」をみることでチェックできます。

たとえば、モデルのような右利きタイプの場合では、左側の腸腰筋の働きが強くなりやすいために、ヘソは右方向に偏移しています。逆に右側の腸腰筋の働きが強い場合では、左側を向いています（正確には、反対側の右内腹斜筋の作用も関係しています）。これらの現象が発生することで、ヘソの向いている側と反対方向の腰部分での疲労や腰痛が発生しやすくなります。

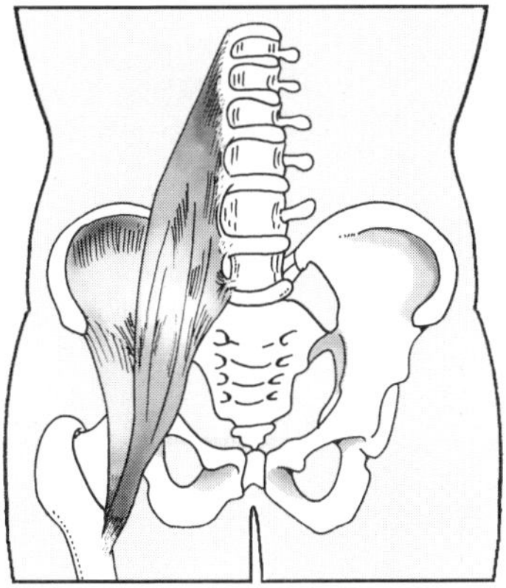

腸腰筋

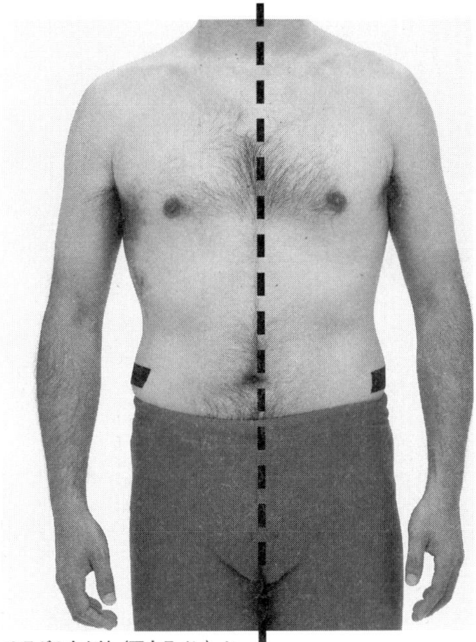

カラダの中心軸（正中ライン）からみて右側にヘソが偏移している

大臀筋

大腿筋膜張筋

内腹斜筋

内腹斜筋

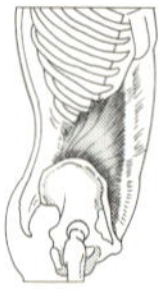

そのほかの例として、利き腕と逆側の大臀筋や大腿筋膜張筋、利き腕側の腸腰筋や縫工筋の弱化などもみられ、また、これらの症状によって右足は、前に踏み出しにくくなり、結果として足首捻挫の原因となったり、右太もも後ろの筋肉の肉離れなどが発生しやすくなります。

そのほかの筋肉にも様々な影響やバランスの異常がみられます。

たとえば、利き腕側の外腹斜筋の弱化や、利き腕と逆側の内腹斜筋の弱化などによるコアのねじれがそれにあたります。これらは腰痛や背中の痛みの原因となります。

Ⅲ. 前後軸 ― Z軸のチェック

垂直軸 Z

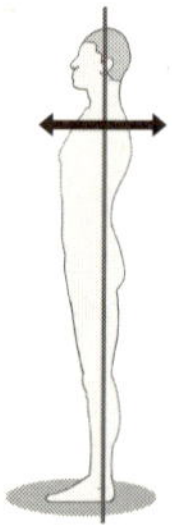

最後は前後軸のZ軸です。

横向きにまっすぐ立ってみてください。正しいコアラインは、耳の穴、肩、くるぶしの少し前、を繋いだ直線が地面と垂直になります。

しかし、実際には、このモデルのように耳の穴が前気味になっている人が多いと思います。また、直立した状態で真下に目を移して、お腹がつま先より前に出ている人は要注意です。お腹がつま先より前に出ない人は股関節で支えているタイプで、Z軸

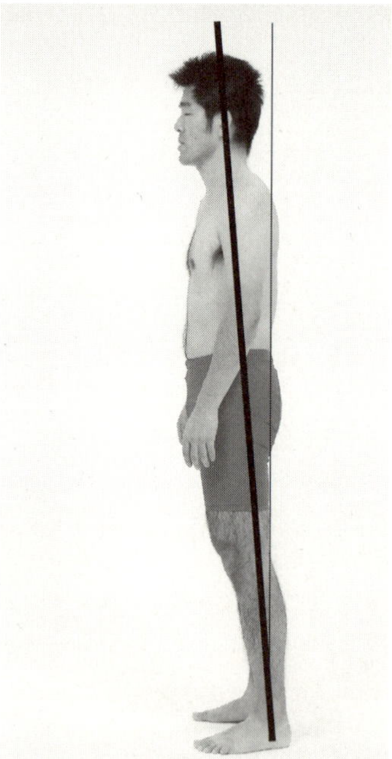

耳の穴、肩、くるぶしの少し前のラインが前方に傾いている。これが日本人系身体形態タイプの典型だ

に大きな問題はありません。
意識的なチェックとしては、目をつぶって、まっすぐ立ち、そのとき、つま先側に体重が乗ってるか、カカト側に乗ってるか、によって判断します。
もし、つま先側に乗っていたなら、アナタは腹筋部が弱いと考えますので、それに応じたトレーニング（→第5章参照）を行いましょう（腹筋は動的には動いているが静的・支持的には動いていません）。

3つの軸の矯正

それでは、チェックは済んだので次は矯正に入ります。3つの軸（X、Y、Z軸）のうち、最初に左右の軸であるX軸の矯正トレーニングから、次に垂直のY軸、最後に前後のZ軸へと、姿勢改善のためのアプローチをしていきます。

Ⅰ. 左右軸 — X軸の矯正

左右軸 X

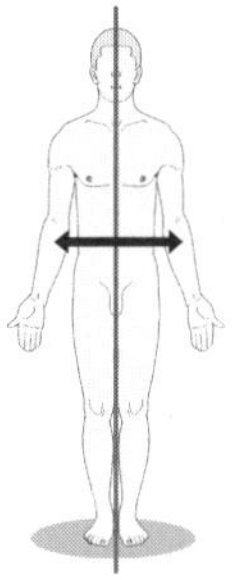

頭とアゴの傾きが右上がりになっていて、右肩は下がっていたモデルと同じ右利き腕タイプは、骨盤も右側が上がっていて、これは、右の脊柱起立筋と広背筋か腰方形筋、左の中・小臀筋、右の内転筋群が強い身体構造でした。その矯正に入りたいと思います。
ではまず、左側を下にして横に寝てみてください。そして、右脚を床と平行に足を上げます。その際、中・小臀筋の弱い右足を上げるとき、右の脇腹に力が入っていませんか。そうだとしたら、右側は意識的に中・小臀筋を動かさないと、動かないということです。でも、このままではいくら意識的に動かそうとしてもあまりチカラは入りません。ですから、次のような方法をとります（反対側の中・小臀筋部には、チカラが入りやすく感じます）。

● 中・小臀筋の強化

右手を骨盤にくい込むように当てて、腰部をロックさせます。すると、肩、肘、手で三角形ができ、脇腹は動かなくなります。こうすれば、中・小臀筋しか使えなくなります。弱い方の中・小臀筋がこれで鍛えられるわけです。

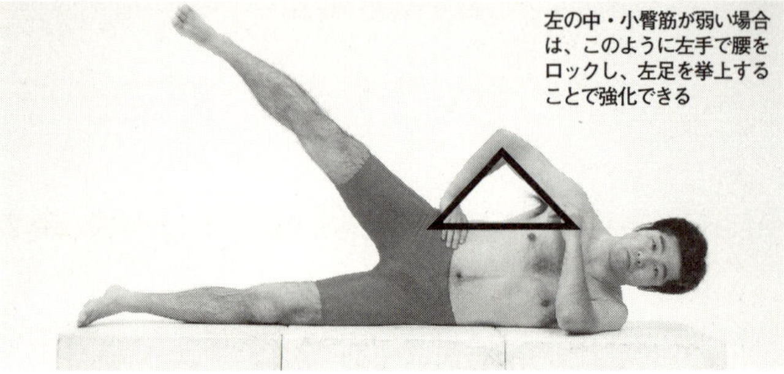

左の中・小臀筋が弱い場合は、このように左手で腰をロックし、左足を挙上することで強化できる

● 内転筋群の強化

次に、その右腰部に対角する左脚の内転筋群が弱いことがわかっていますから、左側を下にして横になり、右足首を左手で持って、右手は先ほどと同じように脇腹下部の骨盤に近いところにあて、脇腹をロックさせます。

そして、左足の内転筋群を意識しながら、左足を上げます。すると、左の内転筋群だけに利く運動ができます。ポイントは、右足のカカトを浮かさないこと、左足をまっすぐに伸ばして行うことです（反対側の内転筋は、強く動かしやすく感じます）。

右手でしっかりと骨盤をロックして左手で右足首をつかむ。左足は伸ばしたままで

● 脊柱起立筋と腰方形筋の強化

最後に右側を下にして横を向いてください。このとき中・小臀筋の作用が干渉してきますが、中・小臀筋は、足を伸ばした状態のときに一番効力を発揮するので、中・小臀筋を使わないようにするためには、膝を曲げて、足を前で折るのがよいでしょう。

そして、脊柱起立筋の一部と広背筋、腰方形筋を鍛えるために、頭の後ろに手を組んで、その姿勢のまま、上体を90度、背中を下につける感じでひねります。その際、顔は真上を向いたまま腹筋をする要領で上体を前屈させます。こうすると、おもに起立筋の一部と広背筋、腰方形筋だけを鍛えることができます（反対側の運動は、楽に行えるように感じます）。

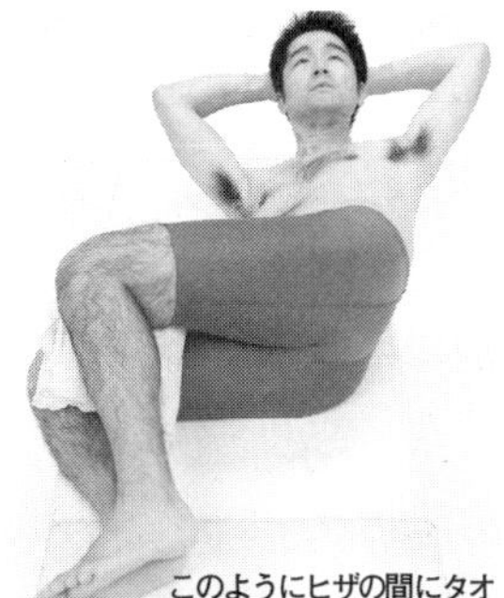

このようにヒザの間にタオルを挟むと、より効果的な強化トレーニングとなる

以上で、弱っている「中・小臀筋」「内転筋群」「脊柱起立筋と腰方形筋の強化」が完了し、X軸のリセッティングができました。

Ⅱ. 垂直軸 — Y軸の矯正

次がY軸、“ねじれ”の矯正です。

まず、体幹部よりも上の場合は、胸椎の12番目の“ねじれ”、肋骨を回すところだけが、左右に正しく動いてない、片方に“ねじれ”が生まれています。また、体幹の下部分の場合では、腸腰筋の異常による“ねじれ”となります。

垂直軸 Y

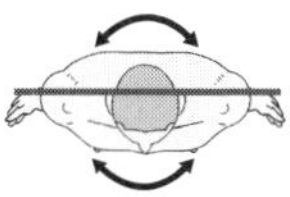

● 腰椎・胸椎の回旋力矯正

モデルは右の肩が下がってるので、右の広背筋群が強い。右の胸椎12番の働きはいいが、左の胸椎12番の働きが悪くなっていますから、修正が必要です。この場合には、イスに座って、体を前に倒します。太腿にお腹をつけたら、

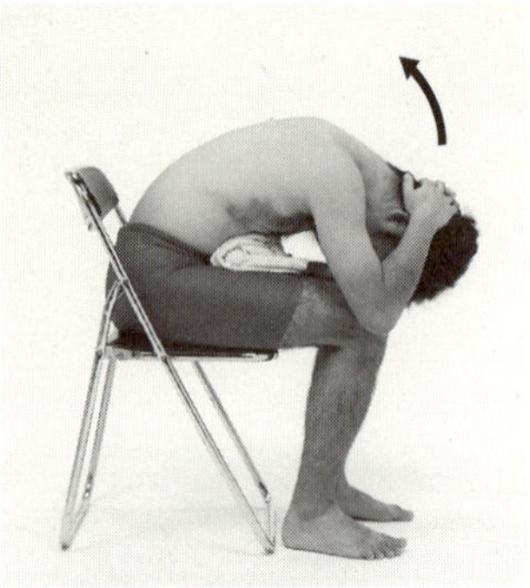

両手を頭の後ろで組み、肘をできる限り広げて、胸を張るようにしてセット

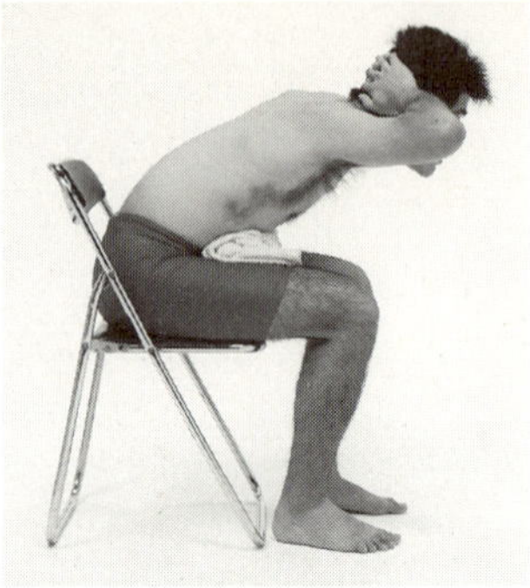

背中を伸ばしたまま、バックエクステンションに入る。あくまで腹部を太腿から離さない

頭の後ろで手を組み、バックエクステンションを行います（タオルを腹部に挟むとより効果的）。ただし、このときお腹と太ももを離さないようにします。モデルはほとんどできませんでした。これは脊柱起立筋の一部、腸肋筋などを絞めることができず、働きが弱いためです。

次に、右腕の間にペットボトル（雑誌を丸めたものでもOK）を挟んで、挟んだまま上半身を背骨を軸にしてひねります。お腹を太ももにつけるのは同様です。

今度は、左腕にも同じように挟んで繰り返します。そうすると、左の胸椎12番の働きが悪いため、左腕に少しの負荷（ペットボトル）がかかっただけで、回転が悪くなるのがわかります。これを反復して行うと、Y軸上部の“ねじ

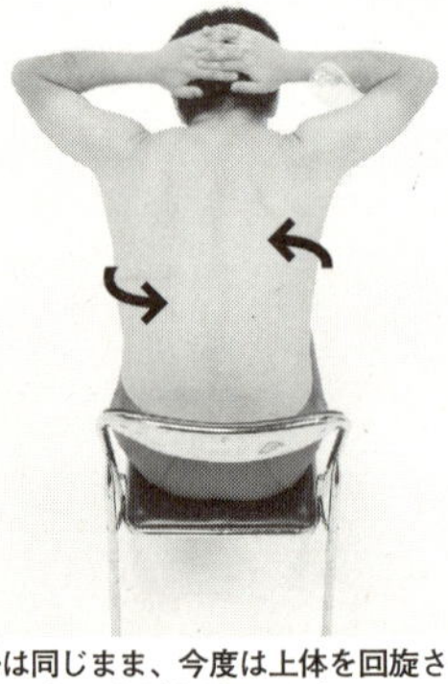

姿勢は同じまま、今度は上体を回旋させる。ペットボトルなどを利用しよう

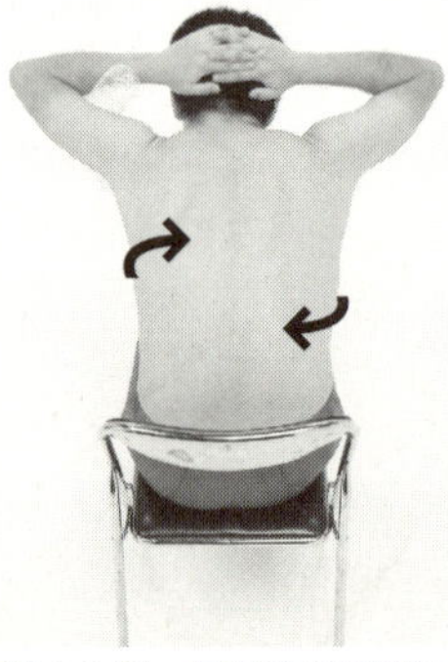

右利き腕タイプは、左手の負荷は胸椎12番の働きを鈍らせるため重点的に鍛えたい

れ”がとれてきます。要するに、胸椎の12番の位置を動かすことができればいいのです。

終わったら、先ほどのように上体を曲げて、お腹と太腿をつけたまま、後頭部で両手を組んで、肘を反らせるようにして、背中を反らせてみてください。先ほどよりも反るようになったと思います。

● 股関節の軸の矯正

体幹部の下の“ねじれ”が起こるのは、腸腰筋の異常によるものです。そもそも股関節は、骨盤を2つの関節と2つの大腿骨の軸で支える構造です。2つある股関節の軸や働きが偏り、それによって生じる歪みや働きの悪さは、構造上、カラダ全体へと広がります。それを腸腰筋のトレーニングによって、改善していきます。

このモデルの場合、右の腸腰筋が弱い（右の内腹斜筋の干渉もあります）ため、その働きを改善していきます。

まず、背中を床につけて、上を向いて寝ます（このとき、写真のように段差があるとより効果的になります）。その状態から、右脚を軽く曲げ、股関節部を折るように脚をできる限り高く上げます。ここで、注意することは、反対側の左脚が床より浮いてしまわないようにすること。浮いてしまうと他の腹筋群の干渉が起きてしまい、効果がありません。また、腸腰筋を意識しづらい場合には、反対の左のお尻の下に手を差し入れることで改善されます。

これでY軸も完成です。

股関節

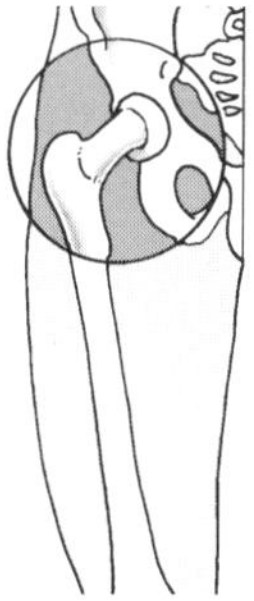

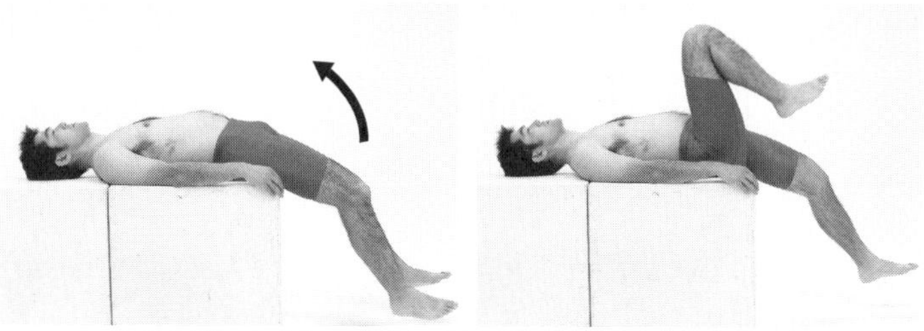

足を上げる際には、少しかかとを内に入れる感じに股関節を外に回す（外旋）と、より効果的。ただし、股関節部が横に開いて（外転）しまわないように注意

Ⅲ. 前後軸 ― Z軸の矯正

垂直軸 Z

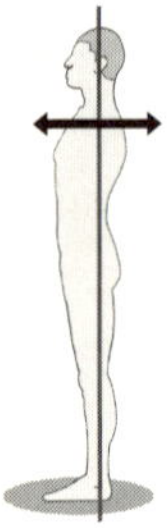

最後のZ軸の矯正は、まず、両脚の股関節周辺の筋肉の働きを改善することで、修正を図ります。

それには、以前にも紹介した股関節部での「8の字運動」がもっとも効果的です。

この運動を行うことで、特に股関節部で起きているカラダ全体の異常な前傾姿勢を改善することができます。

チェック方法としては、2つあり、1つ目は、直立位で頭を下げ、下を見ます。そのときに、足先がお腹で隠れてしまっている人、もしくは、それに近い人には、この運動が必要となります。また、2つ目は、この状態でつま先に体重がかかってしまっていることです。この2つの条件を満たしていない人とそれ以外の人は、次の腹筋部の強化に進んでください。

ではまず、上半身と下半身がまっすぐになるようにカラダを伸ばし、下の足の膝を折り曲げて前に突き出し、両足の形が上からみて数字の「4」になるようにします。上の足を曲げずに上げて、足先を直角にしたまま、数字の「8」を横に描くように前から回します。このとき、「8」の真ん中の交差する点が、まっすぐにしたカラダのライン上にくるようにして脚を回します。

これで、股関節部での前後のZ軸は、矯正されました。

● 腹筋群の強化

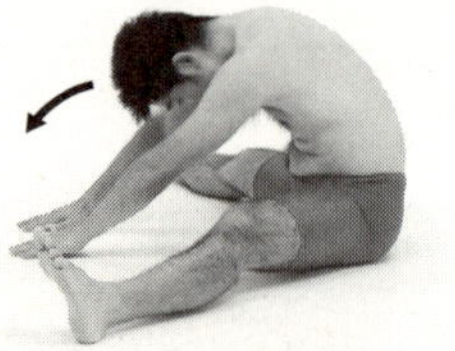

開脚してできるかぎり前屈する。
足を曲げずに行うこと

目をつむって直立し、つま先に体重がかかっていたなら矯正が必要

次に腰椎部分でのZ軸の矯正です。理想的なコアラインに近い人の場合には、この軸に異常はありません。

まず、目をつむって、まっすぐ立ち、つま先側に体重が乗っていたなら、腹筋部が弱いと考えます。立ったまま前屈と座って開脚しての前屈をやってください。

● 腰椎3番の位置の矯正（バランススクワットのチェックによる）

今度は、バランススクワットによる動作チェック（098ページ参照）でZ軸の前傾、後傾を確認した上での腰椎3番の位置矯正を行います。まずは、前傾している人の矯正から入ります。

それでは、両足裏をくっつけて、つま先を下につけます。手を後ろに上げたまま、背中を反らせ、膝を開いてうつぶせになります。こうすることによって、腰椎3番の動きを中心とした腰部だけを鍛える運動ができます。これを終えたら、再度前屈してみてください。さっきよりも前に曲がるようになったはずです。座っての開脚前屈もさきほどよりはできるはずです。

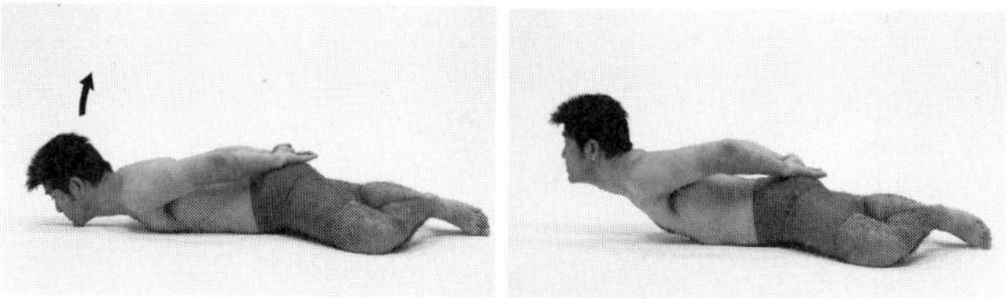

膝を開いた状態で両足の裏を合わせ、
手を腰のあたりで組み背筋を行う

次は、後傾している人の矯正です。仰向けに寝ころんで、膝を曲げて両足の裏をつけます。その姿勢のまま、腕をまっすぐ前に出して腹筋をします。これは、腰椎3番を後ろへ押す作業をしています。これで、再び目をつぶって、まっすぐ立ちます。すると、体重が後ろに乗って、後傾していることが自覚できると思います。

足を開脚したまま、仰向けに寝ころび、
両手を前に伸ばす

腹筋を行うことで腰椎3番を後ろへ押し出す

ただ、これだけですとまだ完璧とはいえません。骨盤を固定してやらないと臀筋の働きもそこに追加されてしまいます。この矯正トレーニングは、腰椎の3番目だけを動かさないといけません。ですから、膝を屈曲させ、骨盤を後傾させて、臀筋が介入できなくします。そのために膝を両手で抱え込んで上を向き、ヘソを上に上げるようにして腰を反らせてください。できない人も多いと思いますので、そういう人は、パートナーの助けを借りて、腰にタオルを敷き、そのタオルの両端を引っ張って上に上げてもらいましょう。

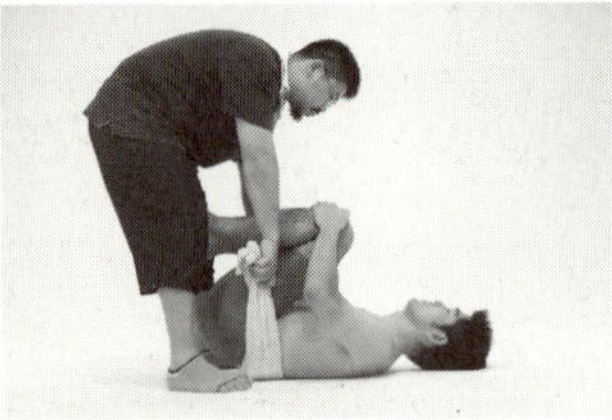
自分でできない人は、腰の下にタオルを入れてパートナーに手伝ってもらうこと

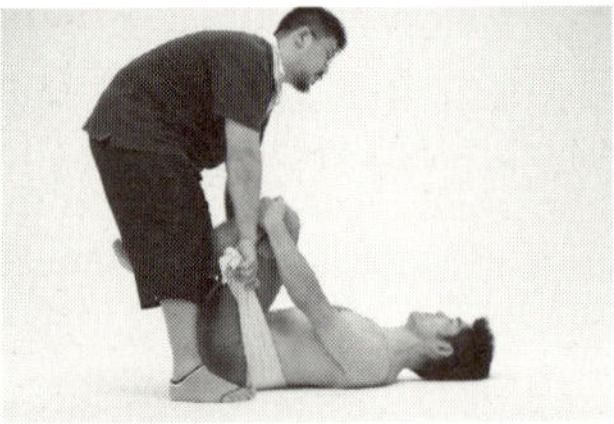
膝を抱え込み、ヘソを上に押し上げるつもりで反らせる

終わったら、次は、今一度、自分だけでやってみます。ヘソを天井に上げるつもりで、腰を反らすします。今度は自分ひとりでもできるはずです。

背筋と腹筋、どちらか一方の矯正が終わったら、立って前屈と座って開脚前屈を行ってみてください。さらに曲がるようになっていることが体感できるはずです。弱い部分の筋肉トレーニング回数を多めに設定し、先に反対側の強い部分のトレーニングパターンを少しだけ行った後に、弱い部分のトレーニングを行うことで、より柔軟性を向上させることもできるトレーニングたちです。弱い側のトレーニングに慣れてから、一度試してみてください。大きな変化を感じれるはずです。

矯正前よりも前屈できるようになったなら矯正終了

これでZ軸の完成です。

第3章

超走を支える筋肉群

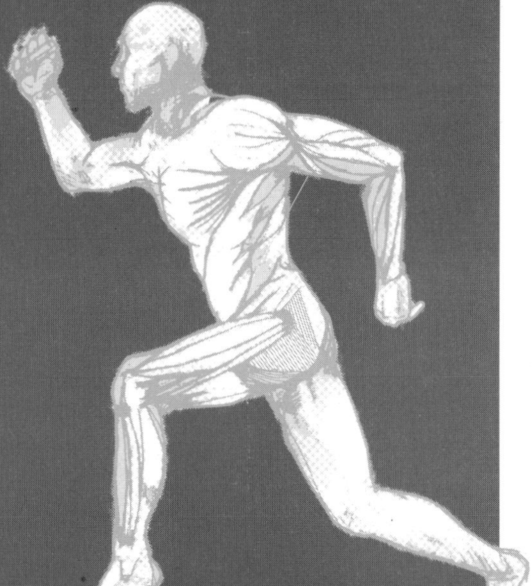

筋肉の基本的な役割分類

筋肉の働きについては、前作『コアビリティトレーニング』でも触れました。

カラダを動かすために必要な筋肉を、「姿勢筋」＝姿勢を保つために動く筋肉、「行動筋」＝行動を起こすために動く筋肉、「運動協調筋」＝効率よい関節の運動を行うための筋肉、と3つに分けて説明しました。

「姿勢筋」は、前太もも（大腿四頭筋下部）、お尻（中・小臀筋）、腰から上の背骨に沿った筋肉（脊柱起立筋群）、ふくらはぎ下部（ヒラメ筋）などで、「行動筋」は、お尻（大臀筋）、太ももの裏側（ハムストリングス）、ふくらはぎ上部（腓腹筋）、腕の上腕（上腕二頭筋）、肩甲骨の周り（広背筋）など。3つめの「運動協調筋」は、俗にいう“インナーマッスル”のことです。

代表的な肩についていえば、肩を回す運動を助けている筋肉で、棘上筋、棘下筋、小円筋、肩甲下筋などが、それにあたります。

この「姿勢筋」「行動筋」「運動協調筋」の役割を知っておくことは、自分が今「どこ」を「何のため」に鍛えているのかを把握するためにも、重要なことでした。

今回は、この分類のさらに先に踏み込もうと思います。

上記の、姿勢を保つために動く筋肉（「姿勢筋」）、行動を起こすために動く筋肉（「行動筋」）、効率よい関節の運動を行うための筋肉（「運動協調筋」）という分類は、筋肉の“役割”の分類でした。「姿勢を保つ」「行動を起こす」「効率よく関節を動かす」という、それぞれの役割です。

今回は、同じ筋肉でも、その筋肉の持つ“性質”に着目してみたいと思います。筋肉の持つ“性質”を見てみると、筋肉の伸縮における形状は、2つに大別できることが解剖学的に証明されています。それが、「平行筋」と「羽状筋」と呼ばれる筋分類です。

（「骨格筋の形状と機能」川上泰雄、『筋の化学事典』（朝倉書店）福永哲夫編

筋肉の特長とスピードの関係

「平行筋」と「羽状筋」について説明する前に、筋肉についてもう少し話しておきます。筋肉は、“ひとつの大きな塊”ではけっしてなく、精肉店で売られているブロック状の肉で見かけるような、たくさんの「スジ（筋）」が集まり、きれいに一本の綱のようにまとまった形と構造をしています。

凧揚げの際に使う糸巻きに近い形状をしているため「紡錘型（様）」と呼ばれています。

この糸巻き型「紡錘型（様）」である筋肉を真横に切ると、その横断面積が大きくなれば大きくなるほど、それに比例して、筋力は強くなるという傾向があります。

筋肉は、数多くの小さな筋線維という単位の部品が集まることで、大きな束状になっていて、運動とは、この大きな筋肉の束を構成している小さな筋線維、その部品ひとつひとつが引き合い、また縮むことで、関節を構成している骨と骨が互いに近づきあい、その結果として、手や足が自由に動くことで表現されています。

また、この多くの筋線維を瞬間的に縮み合わすことができるものの中で、筋肉の縦方向の長さが長いものほど、関節を大きく速く動かすことができることがわかっています。「関節が大きく動くこと」＝「大きくカラダを動かすこと」につながりますから、速く距離を移動することが可能となるので、結果としてスピードが上がります。

つまり、筋肉が縦に縮む長さの幅の大小が、イコール、関節が働くスピードであり、また、カラダを動かす上でのスピードとなります。

平行筋

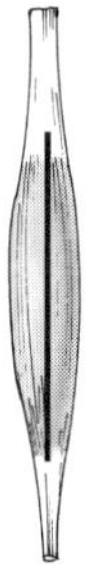

羽状筋

[表-a]　筋線維と筋力の関係

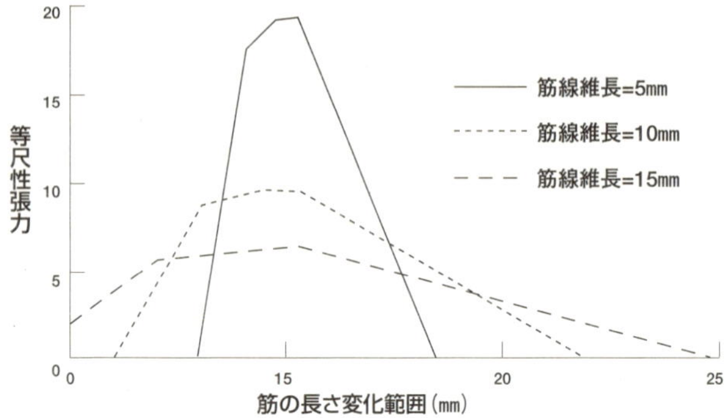

[表-b]　筋力とスピードの関係

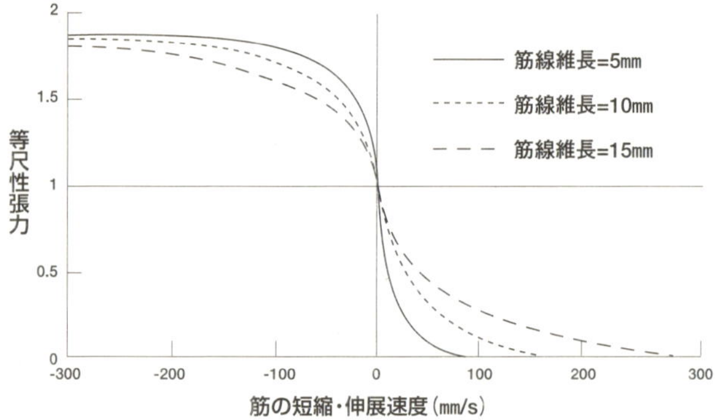

同じ筋体積の場合、筋線維長が短いほど生理学的筋横断面積が大きくなるので張力が大きくなる。一方、筋長変化の範囲は少なくなるため、長さ―力関係は急峻になる。つまり、筋の最大短縮速度は筋線維が長いほど速い。

［引用データ］『バイオメカニクス』金子公宥、福永哲夫／編　杏林書院

“形状”の違う「平行筋」と「羽状筋」

羽状筋

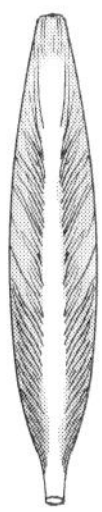

「羽状筋」は、その名が示す通り、ちょうど鳥の羽の形にみえます。この筋の特徴としては、筋線維が横に並んで、橋渡しするような形であるために、筋肉の横断面積が大きくなり、横に発達しやすいという特徴をもっています。

また、このように横断面積が大きくなるという形状を持つため、先の説明とデータのように筋力は強靱です。

一方で、腱と腱の間で筋肉線維が横に橋渡しをするような形状であるため、「羽状筋」が収縮する際には、チカラの働く方向を縦としてみたときに、反対に横方向へと引っ張り合い、近づけるように働いてしまいます。つまり、チカラを働かす方向に対して垂直に横に縮むよう、作用してしまうのです。

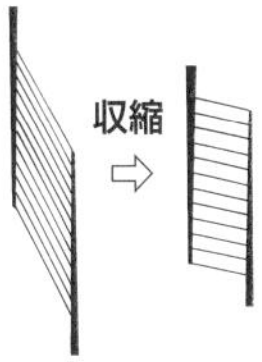

こうしたマイナス面の作用を持つため、「羽状筋」は筋力

[表-c]　筋線維／筋長比と筋線維および生理学的筋横断面積との関係

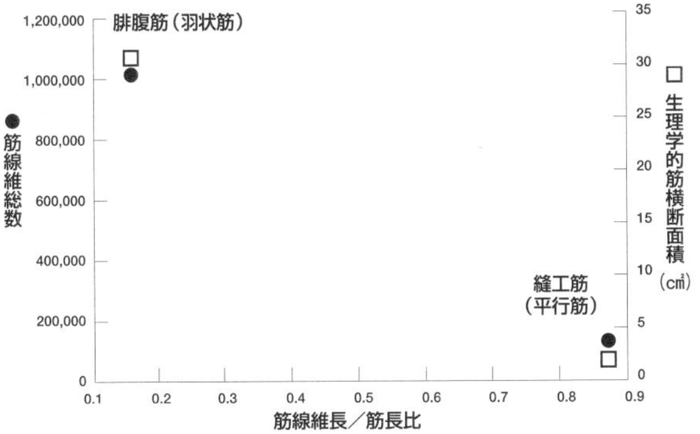

横軸は羽状筋←→平行筋の程度を示している。羽状筋の程度が高い筋ほど筋線維数が多く、生理学的筋横断面積が大きい。図の横軸は筋の速度のポテンシャルを、縦軸はチカラのポテンシャルを表すと考えられる。

[引用データ]『バイオメカニクス』金子公宥、福永哲夫／編　杏林書院

腓腹筋
（羽状筋）

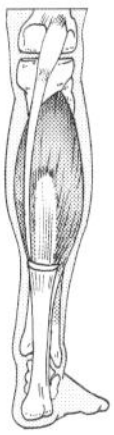

縫工筋
（平行筋）

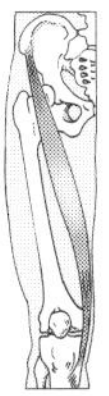

が強いことに反して、縮む「横」方向とはまったく違う反対方向となる「縦」方向へ縮みにくくなる、という欠点をもっています。腱と腱の間を橋渡しするかのように、横に筋肉の線維が走ってしまっているために筋肉の縮む長さが、次に説明する「平行筋」に比べると短くなってしまいますから、これらはスピードよりもチカラが優位な筋肉の形状といえます。

結論として、「羽状筋」は、チカラは強いが、関節を動かすスピードの遅い筋肉だといえます。ふくらはぎの「腓腹筋」や「大腿四頭筋」は典型的な「羽状筋」です。

では、もう一方の「平行筋」とは、どのような働きを持つ筋肉でしょうか。「平行筋」とは、ハムストリングス（大腿二頭筋など）や内転筋に代表される筋肉で、見た目は縦長の筋肉群です。

特徴としては、筋肉の束は細いが、束自体の線維長が長いので、伸びたときと縮んだときの差が大きい。つまり、先の「羽状筋」とは対照的に、筋肉の束は細いのでチカラは弱いのですが、筋肉の線維長が長いため、収縮の幅も比例して長くなり、よって関節を動かすスピードは速い筋肉だといえます。

だからこそ、「平行筋」であるハムストリングスを鍛えることで走るスピードを高めることが可能になるのです。

平行筋

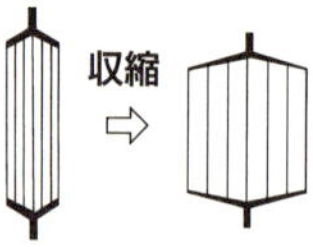

大腿二頭筋
（ハムストリングス）

内転筋

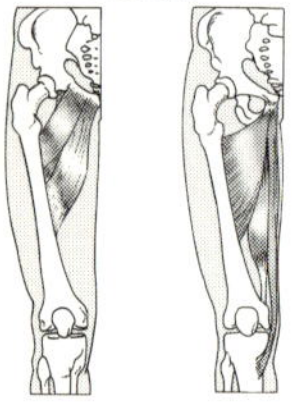

「平行筋」だけを使って走るのが理想

「平行筋」の特徴を考慮すれば、速く走ろうと思えば、できる限り「平行筋」だけを使って走るようにする必要があるのです。

筋の長さと幅の関係をみてみると、腓腹筋も大腿四頭筋も、すべて「羽状筋」です。収縮が腱を挟んで斜めに起きるから、収縮の幅があまりない。逆に、ハムストリングスに代表される「平行筋」は収縮の幅が長いため、結果的に速いスピードを生むことが可能になります（単にスピードの比率だけで考えればの話ですが）。

ちなみに「平行筋」は、鍛えていくとどんどん太くなりやすい性質を持っていますが、「羽状筋」は太くなりにくい。厚みができにくい、束が太くなりにくいという特徴を持っています。

下表をみると、「平行筋」と「羽状筋」でそれぞれ瞬発力が出ていますが、やはり、筋線維がまっすぐになっているのが普通「平行筋」で、「羽状筋」は斜めに入っています。この斜めになる度合いが高ければ高いほど、チカラのロスが高いことを表しています。つまり、物理上は「羽状筋」が太くなれば太くなるほど、スピードは遅くなる上、チカラも伝えにくくなるということがわかるのです。

だから、私は、速く走りたいと思う人が、「羽状筋」を鍛える必要性が本当にあるのだろうか、と考えたわけです。

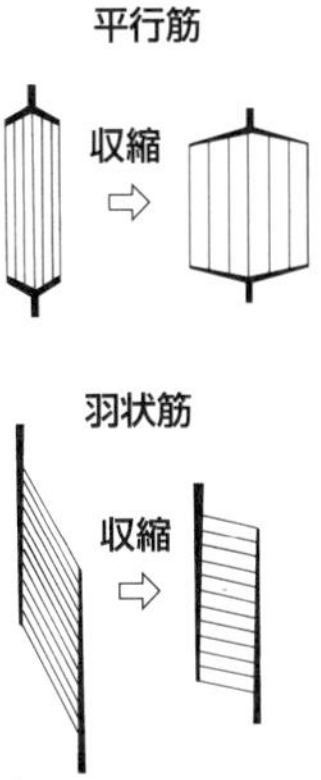

[表-d]　**羽状角が筋力発揮特性におよぼす効果**

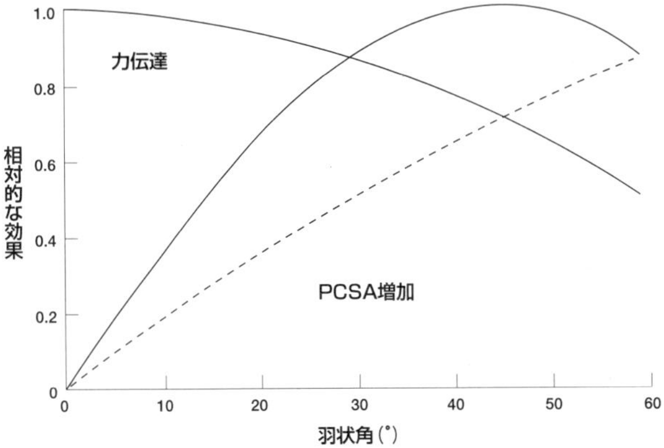

羽状角増加は生理学的筋横断面積（PCSA）の増加を促すが、筋線維から腱へのチカラ伝達効率を低下させる。腱におけるチカラは両者の効果の合計となる。

［引用データ］『バイオメカニクス』金子公宥、福永哲夫／編　杏林書院

「平行筋」でスピードを出すのはいいのですが、床を蹴って進むには、後ろ方向へと脚を動かす筋肉である、ハムストリングスだけでは動きません。反対の前方向へと脚を運ぶ作業も必要となりますから、当然「羽状筋」である大腿四頭筋が必要になります。

でも、私は「スピードのロスをおよぼす『羽状筋』の大腿四頭筋などではなく、平行筋肉群で、股関節を速く動かすための筋肉は存在しないのか？」と考えました。すると、ある筋群に思い当たりました。

それが内転筋群だったのです。

大腿四頭筋の代わりをする内転筋群

内転筋群

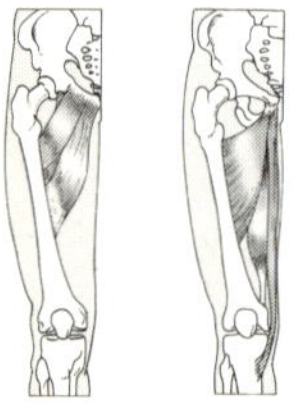

内転筋群は、紛れもない「平行筋」です。

内転筋群の筋の断面積が大きければ大きいほど、スピードの記録が上がりやすいということが、統計にも出ています。速く走るために動かす筋肉すべてを「平行筋」でまかなうためには、スピードが必要となる股関節の曲げはじめを内転筋群にまかせ、その後をスピードは遅いがチカラの強い大腿直筋で股関節の屈曲をフォローさせ、着地します。その後、床に伝えるチカラが上方向へと働く抗力となって逃げてしまわないように、大腿四頭筋の下部三広筋で膝を固定、支持させながら、床面を前から引き込むようにハムストリングス（一部の内転筋も股関節の伸展に使われています）で蹴ったらいい、ということになります。

そうなると、走り方はどうなるのでしょうか。

脚の振り出しは外股気味に出てきて、これが後ろに下がっていく動作で走ることになります。これが理想的な「超走」の走り方です（スタート動作だけは内股［屈曲・内旋］が有利になります。のちほど詳しく説明します）。

一般的にガニ股の人の方が足は速い。サッカー選手などは顕著な例ですが、O脚の選手は一様に足が速いのです。逆にX脚、つまり内股は損です。なぜなら動作上、どうしてもスピードの遅い「羽状筋」である大腿直筋や大腿四頭筋、チカラの働きの弱い内旋筋群を使って股関節の屈曲を行ってしまうからです。もう少し詳しく説明すると、外旋筋に対して、内旋筋は約1/3の筋力しか持っていないからです。つまり、スピードの遅い筋肉と屈曲力の弱い筋肉を使ってしまうことになるからです。だからこそ、内転筋群を鍛えることによって、できるだけ、膝を伸ばすための筋肉（伸展作用筋）として、大腿四頭筋を使わないようにし、走り方の不利を挽回する必要があります。

しかし、「平行筋」を正しく使おうと思ったら、姿勢制御のために「羽状筋」（この場合には大腿四頭筋の下部三広筋）を使っているのです。したがって、大腿四頭筋の正しい働きを明確にするために、どうしたらいいのか考えていく必要があるのです。

それには、つまり、大腿直筋を股関節の屈曲のためのサポートの筋肉として捉えさせ、膝の固定、支持だけに大腿四頭筋の下部三広筋を使わせるように仕向け、習得させる必要があるのです。ですから、私は、大腿四頭筋の使い方が明確にできないスクワットは、お勧めしないのです。

また、より能力を向上させるためには、上体のバランスを良くし、体重移動をスムーズにする必要もあります。つまり、「コアライン」姿勢の良さは必ず必要となるのです。

[表-e] 内転筋の横断面積と100m走記録との関係

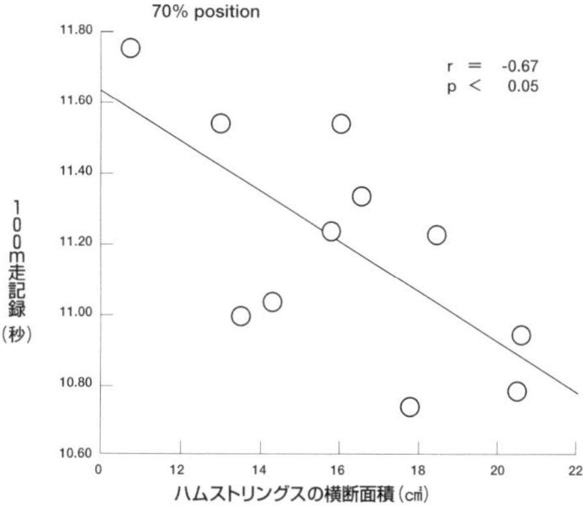

内転筋の横断面積が大きい選手ほど100m走の記録が良い。相関関係は、ハムストリングスと100m走記録との関係より高い

［引用データ］『スポーツ動作の創造』小林寛道／著　杏林書院

100m走を分解する「トルク」の必要性

スタート

今回、「超走」を書くにあたって、私は100m走をもっと分解しようと思いました。単純に100mといっても、いくつかの局面があります。

たとえば、スタート。100mのスタートでは「クラウチングスタート」をやります。なぜ「クラウチングスタート」なのか、おわかりでしょうか。もしわかったなら、アナタは超一流のアスリートになる可能性を秘めています。

私はよく、患者となるスポーツ選手たちにある質問を聞いてみます。「一流と超一流の違いはなにか？」という問いかけです。いろんな見方、観点があっていいと思いますし、事実、私が思いもよらないような答えを返してくる選手もいます。

しかし、私が求める答えはただひとつです。それが「創造力」なのです。

私は「創造力」なくして、超一流にはなれないと考えます。一流まではそれがなくても辿りつけますが、そこから先は、誰も知らない領域。だからこそ、考えて生み出すチカラ、「創造力」が不可欠となるのです。

そう思って「クラウチングスタート」をする理由を考えてみてください。

「クラウチングスタート」をする理由。

答えは「大腿四頭筋が有効に働くようにするため」です。「おや？」と思った人もいると思います。先ほどまで、私は「速く走るためには平行筋だけ鍛えよう」と唱えていたのですから、もっともな疑問です。

しかし、こと100mのスタートを考えたとき、「クラウチングスタート」がもっとも速く駆け出すための方法であることは確かで、なおかつ、このスタートをするためには大腿四頭筋の強い筋力が不可欠であることも、また事実なのです。

大腿四頭筋は、いうまでもなく「羽状筋」ですから、スピードは遅いが、力強い。その力強さは、スタートの最初の数歩、つまり、加速するまでに必要なギアです。走り出しに必要なのは「トルク」。クルマでも、アクセルを踏んだからといって、いきなり100キロを超えるトップスピードになるわけではありません。一速、二速、とギアを変えていって、はじめてトップスピードに行きつくのです。

だから、100mのスタートダッシュだけを捉えれば、ハムストリングスよりも大腿四頭筋の発達した「トルク」タイプの方が初速は速いのです。けれども、それは最初の数歩だけのことで、持続しません。「平行筋」であるハムストリングスが弱ければ、結局、終速はどんどん遅くなっていきます。また、どちらかといえば大腿部前面の筋力である四頭筋、特に、大腿直筋の使い方のイメージは、カラダを前傾にしたスタート動作の場合では、先に説明したように、太ももを高く上げるためだけに使っているという考え方が正しいのです（股関節屈曲作用を持つ筋肉であるため）。

私は100mのスプリンターであれば、すでに十二分な大腿四頭筋を備えた選手が多いと思っています。ですから「自分はスタートダッシュが苦手だ」という人は、いまの文章を読んで「そうか、やっぱり大腿四頭筋も鍛える必要があるんだ」と早合点する前に、まず、スタート時の足の出し方や「クラウチングスタート」のやり方を見直してみてください。

それでは、「クラウチングスタート」を分析していきましょう。まず、「クラウチングスタート」は、なぜ、お尻を高く上げるのでしょうか。よく「ロケットスタート」などと表現されるように、走り出しで低く出た方がよければ、お尻を高く上げるのは、どこか違和感があります。

大腿四頭筋

できるだけ太ももの裏側のハムストリングスで状態をキープできるようセットすることが、クラウチングスタート最大のコツ

しかし、このフォームにはきちんとした理由があります。

お尻を高く上げているのは、お尻に意味があるのではなくて、ハムストリングスを働かせるためです。スタートブロックに足をかけ、両手を前について、お尻を高く上げると、体重を支えるためにカラダがバランスを取ろうとします。そのとき、カラダ全体でバランスを取ってしまっては、せっかくの「クラウチングスタート」も台なしです。

両手とハムストリングスだけでカラダを支えられてこそ、意味あるスタート姿勢となるのです。

ハムストリングスのチカラを借りることによって、スタートダッシュの“トルク”を発生させる役割を持つ大腿四頭筋のチカラが抜け、チカラが抜けることによって、大腿四頭筋は走り出すためだけ、スタートダッシュのためだけに使えるようになるわけです。これこそが、理想的な「クラウチングスタート」です。

「自分はスタートダッシュが苦手だ」という選手も、まずは「ハムストリングスだけで上体をキープ」させてみてください。これだけで、スタートダッシュがずいぶんと変わるはずです。

加速時

うまくスタートダッシュができたなら、次は、そこからの加速です。

前傾姿勢による体重移動や大臀筋やハムストリングス、大腿四頭筋（下部三広筋）の支持力を“トルク”として使って数歩進むと、ローギアから二速、三速へとギアを上げていく必要があります。そのためには、馬力はあるが生み出すスピードの遅い「羽状筋」から、馬力はないが生み出すスピードの速い「平行筋」へと、働かせる筋肉も移行していかないといけません。

具体的には、大腿四頭筋の大腿直筋（羽状筋）のチカラを抜いていき、膝を高く上げる（もも上げ）ために屈曲筋群（平行筋）を稼働させ、足を蹴り出すためにハムストリングス（平行筋）を使っていくことで、ギアは一気にトップまで上がっていきます。これこそが「超走」の理想的な筋肉連動です。

しかし、もも上げに使う股関節屈筋群を働かせるためには、どうしても膝の上げ方が関わってきます。膝の上げ方にも大きく分けて2つのタイプあります。

ひとつはストライド型で、もうひとつはピッチ型です。

前作でも「ストライド型とピッチ型」というコラムで、そのときはマラソンの野口みずき選手（ストライド型）と高橋尚子選手（ピッチ型）の走り方で紹介しました。

ストライド型とは、いわゆる内股の人に多くみられる走法です。

体重移動がしやすい走り方で、膝を内側に入れ、かかとを外側にして走ります。難しくいうと、「大腿筋膜張筋を使った股関節内旋屈曲」という動かし方です。これはストライドが伸びます。股関節が柔らかく、大腿四頭筋の大腿直筋や大腿筋膜張筋が強く、腸腰筋の働きが弱い人は、この形が多くなります。

逆にアフリカ系身体形態タイプに多い走り方は、腸腰筋、縫工筋、大腿薄筋、

野口選手(左)の「ストライド走法」は、大股で最大限に前進するのに有効な走法。一方、高橋選手の「ピッチ走法」は何よりも回転を重視した走法

長内転筋、恥骨筋などを使った股関節屈曲型の働きになります。膝を外側に、かかとを内側に向けて上げ、股関節を外旋させた状態で引いてくる。難しくいうと、「内転筋群を使った股関節屈曲・外旋」。これがピッチ型です。

股関節の支持力や腸腰筋の強さ、筋力がある人が多いタイプです。前作を書いてから、「ストライド型とピッチ型ではどちらがいいのか？」という質問を受けることが多々あります。走るフォームは天性のものが多分にあって、スプリンターでも、黒人選手は「ピッチ型＝外股」が多いことは確かですが、たとえば国内トップレベルの末續慎吾選手は「ストライド型＝内股」です。ですから、速くなるための走り方を修得するのではなく、自分の身体的特性を最大限に生かすための走り方を極めることの方が、よほど大事だと私は考えます。

ただ、傾向としていえるとすれば、ピッチ型はスプリンタータイプ、つまり短距離走者に多く、ストライド型は長距離走者に多いタイプです。

末續選手もスタートダッシュは膝を内旋していますが、途中からは少しだけ外旋運動に切り替えて走っています。この切り替えは大変困難で、内股の人間に外股になれといっても、そうは簡単にいかないのが現実です。

ただし、理論上だけでいえば、スタートに関しては、大腿四頭筋の直筋と“内旋外転筋”と呼ばれる大腿筋膜張筋を使って走った方が、脚が高く上がり、前に出てきやすいことがわかっています。

逆に“外旋屈曲筋”は可動範囲が狭いため、比較すると高く膝が上がりにくい。真正面から2つを比べてみても、“屈曲・内旋筋”を使った方が膝が高くまで上がるため、それだけ大きく踏み出せるわけです。末續選手の走りは、そうした意味では理想的だといえるでしょう。

いずれにしても、まずは自分がどちらのタイプなのかを見極めて、そこで働いている筋群を伸ばすためのトレーニングをしてみてください。

スタートダッシュでは膝を内転させて走り出すトップスプリンターの末續選手

大腿四頭筋を使えない“ゼロスタート”競技

筋力強化のほかにも、いまより速く走るためのコツがあります。

たとえば「クラウチングスタート」のときに、足を後ろに蹴り出すのではなく、膝を前に高く上げることだけを考えてスタートしてみてください。

蹴らないで上げることだけを考える。こうすると前足を上げる動作をしたときは、自然と後ろの足は伸展しないといけなくなるので、スムーズな足の使い方ができるようになります。後ろ足を蹴ることばかりを考えると、いざスタートしたとき、上体がどうしても立ってしまいます。そうすると、足も浮いた状態になって、しっかりと地面を蹴れずに空回りしてしまい、蹴り出したチカラが100%地面に伝わってはいないのです。だからこそ、足を高く上げることだけを考えるのです。

スタートブロックがない状態では、「クラウチングスタート」は有効に働きません。なぜなら、一歩目を前に出したとき、後ろ足に体重が残ってしまい、上体が立ち上がろうとしてカラダが浮いてしまうからです。

筋肉の性質からいうと、大腿四頭筋は、ある程度、膝が伸び始めたところからしか作用しません。かといって膝を伸ばそうとして、前に伸びようとするとバランスを崩しやすい。となると、カラダを上に起こす以外に安定する方法がないのです。

大腿四頭筋は股関節の伸展としての働きよりも、屈筋群としての働きの方が高い。だから、膝がある程度まで伸展しない状況では、伸展作用はほとんど起きないのです。はっきりいえば、大腿四頭筋は股関節の屈筋群なのです。

しかし、大腿四頭筋の大腿直筋は「羽状筋」ですから、

大腿四頭筋

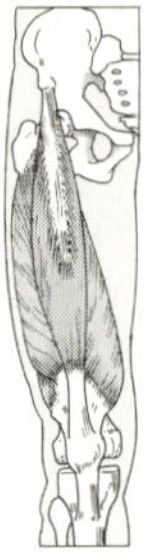

大臀筋

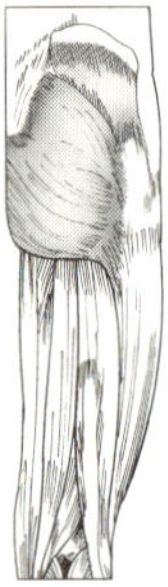

結局、速くは縮めない。ですから、大腿直筋は、屈曲筋の中で速く収縮する「平行筋」である、外側の大腿筋膜張筋や薄筋、または、恥骨筋や長内転筋群が収縮し始めてから、そのあとでサポート的に働いていくことしかできないのです。

こうなると大腿四頭筋自体が、膝の伸展機能を持っているとは考えづらいのです。

つまり、サッカーやラグビーなどの、「静」から「動」の動きが基本となる“ゼロスタート”の競技では、スタートするために大腿四頭筋は使えていないということになるのです。

実際には、足を蹴って走り出す際に大臀筋が作用するのに対して、大臀筋の運動協調筋として大腿四頭筋は働いているだけであって、大腿四頭筋だけで蹴っているわけではないのです。にもかかわらず、大腿四頭筋ばかり鍛えてしまうと、本当に速く走るために必要な大臀筋をおざなりにすることになってしまうのです。

「静」から「動」への瞬発力を求めるならば、大臀筋（080ページ参照）を中心に鍛えることをお奨めします。

“ゼロスタート”がつきもののラグビーなどでは、走り出しに大腿四頭筋よりも大臀筋の働きが大きい

第4章

超走を支える動作

胸椎12番が生み出す走りのスピード

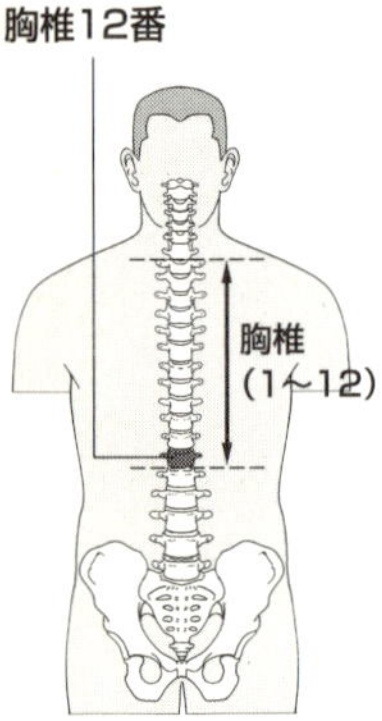

第1章でも触れた胸椎のもっとも回旋能力が高いといわれる12番が生み出す上体の回旋能力は、ゴルフのような回旋を必要とするスイングだけでなく、この本のテーマである「速く走る」ことにおいても、実は非常に重要な働きをみせています。

「速く走る」といえば、コアラインを形成して重力に対して負荷のかからないカラダをつくったり、前章でも触れたように「速く走る」ための足の筋肉を鍛えたり、とまずはそのテーマに直結しそうなことを、ここまで先にあげてきました。

それは「骨盤の後傾」も「3つの軸のコアラインをつくる」ことも、「平行筋」を鍛えることも、これらすべてが至極、理にかなった「超走」を支える観点であったからです。そして、これから紹介する「胸椎12番」の話も、それら同様、「超走」を実現するうえで、なくてはならないセオリーです。ではなぜ、「胸椎12番」なのか。これから先の説明をしっかりと理解するまで読み込んでください。

「走る」という運動においては、ついつい股関節を中心とした下半身にばかり頭がいきがちです。しかしながら、腰椎のひとつ上にある胸椎12番の役割は、「超走」はもちろんのこと、「走る」という運動そのものに大きな影響を与えています。

では、どのようにして胸椎12番の回旋運動が「走り」に繋がっていくのか。

感覚的にいうなら、「胸椎の12番と足先はつながっている」という表現が、もっともふさわしいかもしれません。

いい例をあげましょう。先日、恩師・小出監督の下を飛び立って独り立ちした、マラソンの高橋尚子選手は、

2004年の東京国際女子マラソンのときに、肋骨をケガしていました。“Qちゃん”スマイルがみられなかったあのレースを、ご記憶の方も多いと思います。

優勝確実とみられていたものの、ゴール前数キロ地点で失速し、アテネ五輪への出場権も逸してしまいました。あのとき高橋選手に何が起こっていたのか。

高橋選手はあのとき条件さえ整えば、本当はトップでゴールできていたのです。本当はと書いた意味を説明しましょう。

彼女はレース前から肋骨を傷めていました。これがもっとも大きな敗因だったのではないか、と私は考えています。肋骨を負傷したことによって、胸椎12番を軸とした上体の回旋能力が低下し、普段どおりに手が振れなくなった高橋選手は、知らず知らず一歩一歩のストライドが縮んでいたのです。

ピークといっていいシドニー五輪のときには、1足あたりストライドが138㎝あったものが、あのレースのときには130㎝になっていました。つまり、1足あたり、8㎝短かった。42.195㎞を走り抜くマラソンにおいて、この8㎝は命取りでした。

彼女はいつもフルマラソンを32万歩ぐらいでゴールしているのですが、1歩あたり8㎝短くなったことで、約2000歩足りなくなった。その2000歩の距離がほぼ2.5㎞に相当し、結果として、40㎞ぎりぎりくらいから減速していってしまったことになります。

いつもどおりにストライドが伸びていれば、彼女はゴールしていた歩数で走っていたのです。

この例をみても、いかに、胸椎の回旋が「走る」という運動において大切かが、理解してもらえると思います。

走っているとき、実際には、骨盤はただ単に両足を前後に動かすためだけに存在し、足先のスピードを決めているのは、実は上体での左右の足へと重心を移動させながらスライドするような形で発生している回旋運動です。上体を

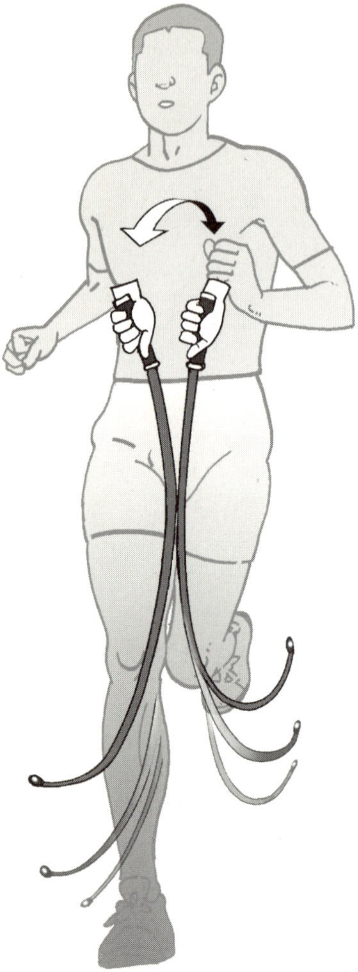

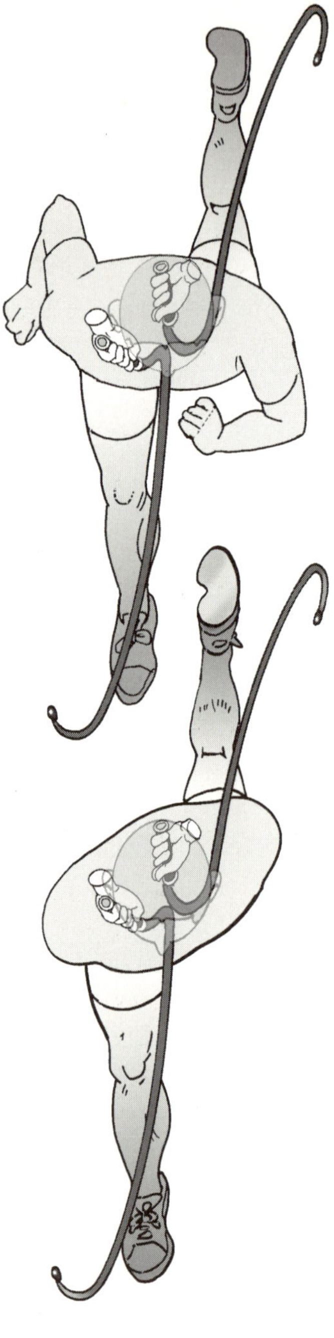

胸椎の12番を“ムチ”の持ち手として上体を前方方向にスライドさせて走ることで、胸椎本来の回旋能力が十二分に発揮される

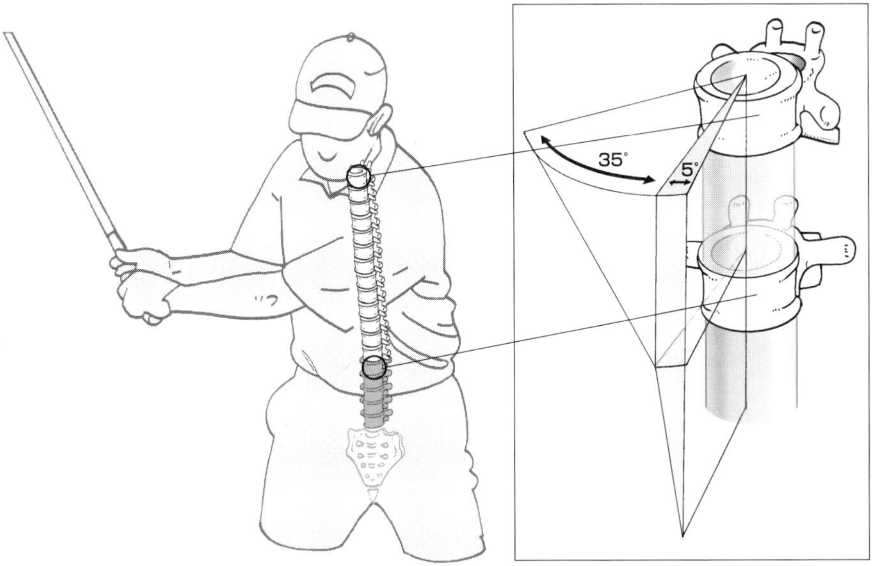

図のようなゴルフのスイングを例にあげると、右方向への回旋角度は、腰椎、胸椎を合わせると45度。左右合わせた角度は90度になる

胸椎12番の自然に起こる回旋能力によって、最初のうちは小刻みに、徐々に大きく“ムチのように”左右斜め前方向にスライドさせることによって、加速していくのです。

ですから、胸椎の12番の回旋能力が高まれば高まるほど、ムチはしなりを増し、足の回転もピッチが速くなることにつながるのです。逆にいえば、足のピッチを上げるためには、胸椎の12番を使わないと上がらないのです。

胸椎の12番がムチの持ち手であり、持ち手の振れが、先端の足先に伝わって、その振動が結果的にスピードを生み出すのです。

このとき、骨盤を中心とした腰に大きな動きは必要なく、ちょうど、鉛筆をゆらゆらと横に揺らせると真ん中あたりが安定しているようにみえて、手先と鉛筆の先がゆれているのと同じ現象がカラダの中で起きていることになるのです。この動きが鉛筆のように硬い固体ではなく、ムチのようにしなる人体で行われるのですから、しなりの影響は大きくなります。

走るうえで腕を振りながら上体を完全に前後に動かすことはできないため、カラダを左右斜め前方にスライドさせることによって、胸椎12番を持ち手とするムチを横にスライドさせて、骨盤と足を持ち上げて前方へと運びながら同じ側の足に体重をのせて足先を加速しています（脇腹をしめる感じで使います）。

肋骨と胸椎の可動域

では、胸椎の可動域はどこまで広がるのでしょうか。

胸椎部分には、みなさんもご存知のように肋骨という骨がたくさんついています。また、この肋骨は、各椎体の間にある椎間関節部分で、本来は、動きを作り出すための関節部分の上下真ん中にまたがるように存在している（「肋椎関節」と呼ばれている）ために、どちらかといえば、肋骨は関節部の円滑な活動を妨げるような形で、脊椎と繋がっているのです。

逆に言えば、この肋骨が脊椎についていなければ、胸椎部分は、本当はもっと大きく自由に左右に回旋させることができるのです。また、このことからも、肋骨が肋軟骨とともに形成している輪っか状の部分以外（肋骨は、1番～10番までが輪っか状に繋がっている）でなければ、胸椎は、本当は左右へは回旋し難い構造になっているのです。

さらに、肋骨そのものの働きとは、どちらかといえば呼吸のための上下動を中心としたものなので、回すというよりも、ねじられる状態に近い、無理のあるものとなります。

このため、肋骨が硬くはない若者の間でも、バッターやゴルファーなどのように、極端に本来の働きではない形へと無理にねじり回してしまうことで、発生する“スイング骨折”というケガも存在するのです。

これらのことから、肋骨に邪魔をされず、回旋の中心として機能する部位が必要になってきたのです。

安定した状態で運動を行うためには、固定的に働く支点の近くに、回転を起こす部分が位置するほうが都合がよいため、下部の胸椎部分で、肋骨が付いている上部10番までの胸椎以外、つまり、胸椎の11番と特にここで紹介した胸椎12番が、その役割を担っているのです。

また、この胸椎の12番は、脊椎の働きを体幹上部でサポートしている僧帽筋と呼ばれる筋肉の下部分の終点となっていることからも、頭から下、腰から上部分とを分け、また、胸椎12番より上の体幹部分全体を回す起点として働いている大切な部分なのです。

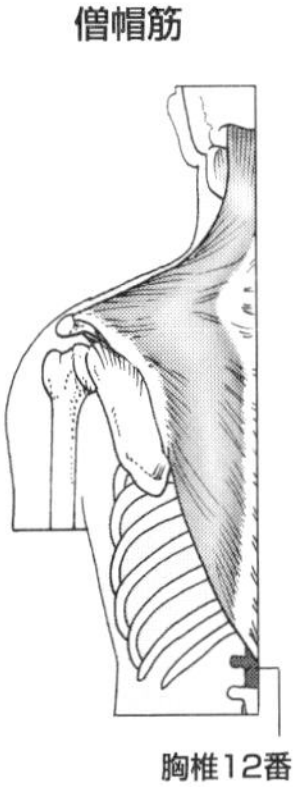

胸椎7番の役割

同じ胸椎でも、特異な役割を担っている、7番についても触れておきましょう。

私は、この胸椎7番を腕部分と体幹部分、さらには、これらと下半身部分との働きを同調させ、協調させるような働きを担っている骨だと考えています。

なぜなら、腕と背骨である脊椎・体幹部分、骨盤とを直接繋いでいる筋肉である、広背筋の始まりの部分（起始）に位置づけられているからです。

さらに、歩行時の体幹部分での見かけ上の回旋の中心となっていることや、頭と脊椎、脊椎と骨盤部分とを繋ぐ、たくさんの脊柱起立筋の中継点にもなっているためです。

胸椎7番は、肩甲骨のライン上に位置しています。

肘を曲げた肘頭の位置には、胸椎12番があって、ここでカラダを回転させています。やはり、肘のラインがカラダが一番回る位置になっているのです。

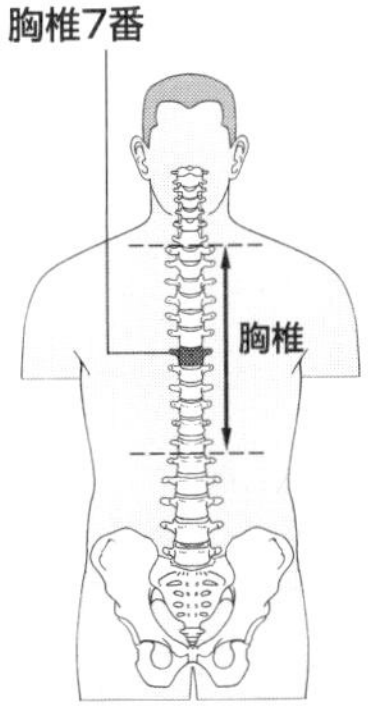

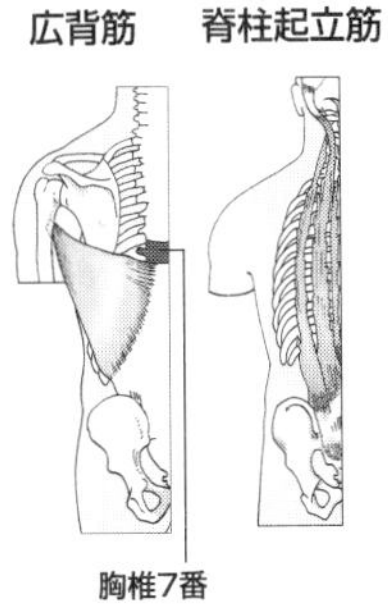

“固める”腹筋と背筋

「超走」を成し遂げるためのメソッドに、いまひとつ加えたい要素があります。

それが「肋骨のない部分を固める」という要素です。

人間は歩いているときに、自然と体をねじって歩いています。反射的にカラダをねじって歩かないとカラダに無理が生じるということを知っています。それはバランスをとるために必要な動作なのです。カラダを“ねじる”ことは、当然のことなのです。

ただし、ねじってしまってはいけない関節と、ある程度ねじれなくてはいけない関節とが存在します。膝は前後に対しては、ほぼバランスがとれず、曲げ伸ばししかできませんし、前後のバランスは股関節でしかやってない、足首も横の動きには、大して役立っていません。小さな横の動きに関しては反応しても、横の大きな動きに対しては、やはり股関節を使っています。

膝も足首も、股関節の補助的な役割しか果たしていなのです。

では、コアはどう動いてるのでしょうか。

そのためにはどこの関節を動かすために、どこの筋肉を鍛えているのか、まずは解剖学的なアプローチを経てから、

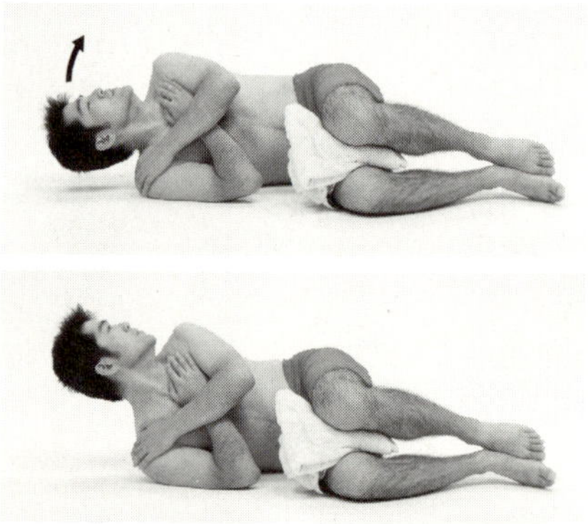

外腹斜筋トレーニングの一例。腹筋は多腹筋なので、収縮する距離が短いため、当然、収縮スピードも速い。鍛えることによって、体幹側部を固めることができる

はじめてコアの動きが分からないといけません。

腹筋と背筋は、この走る動作のなかでカラダを固定するためだけに使っています。

なぜかというと、股関節でカラダが前後に振られる部分のバランスをとっているとしたら、腹筋と背筋の役割は、おのずと“折れない、曲がらない”しかないことになるのです。

しかし、この2つの筋群をどうやって鍛えているかといえば、大抵はアイソトニック的（特定の筋肉を強化するためのトレーニング法。筋の長さを変えながら収縮を行う運動方法、一般的な筋力トレーニング）な体幹トレーニングしかしていないのです。これでは実際には、体幹を安定して固定させる筋肉として鍛えられてないのです（筋肉は、教えられた形でしかチカラを発揮できないため）。

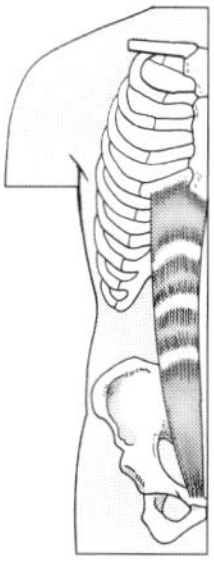

腹直筋

腹筋は、身体構造学的にみたら多腹筋です。形の上では、ボコボコといくつものコブが並んだような形をしています。つまり、「平行筋」と腱が平行に交互に入っていて、腹筋の筋の部分は止めて、腱の部分だけで筋肉収縮のスピードを作り出しなさいということが、その形状で示されている筋群とみることができます。

要するに、腹筋というのは、固定的にスピードを速くつくり出せるようにつくられている、ひとつの“道具”だと考えるのが妥当だと、私は考えています。腱のバネで腹筋は使いなさい、と。だからこそ、腹筋にアイソトニック的な訓練が必要かといえば、必ずしも必要ではありません。

また、上体の重圧に対してや、床から受ける反作用に対して、曲がらない腹筋をつくらないといけませんが、それに応じたトレーニングはしていない場合がほとんどです。体幹トレーニングと思ってやっているつもりでも、実は“的はずれ”になっていたのです。

背筋は、背骨自体を満遍なく使わせるために、背骨の彎《わん》曲を生理的に守りながら、そのうえで「平行筋」としての役割をとらないといけません。腹筋と違って、筋が一本にまっすぐについているため、背筋は“固める”ために使われるのではなく、可動させて動かすためについています。このように筋肉の質に合った鍛え方をしないといけません。

しかし、平らなところでうつぶせになって背筋を行えば、よほどの柔軟性がない限り可動域はほぼゼロに近い状態になります。これでは、背筋が求められた本来の働きは見込めません。あくまで最大可動域を活かすようなトレーニングをしないといけないのです。

また、バックエクステンションで行っているような脚を固定した運動でも、脊椎の中でも仙骨を固定してしまうことになり、腰椎の4、5番目部分の働きを中心として鍛えることになってしまい、やればやるほど腰が悪くなります。

さらに、トビウオのポーズで背筋を鍛えれば、腰痛がなくなるなどとまことしやかにいわれていますが、あれは典型的な日本人系身体形態タイプの人が行ったなら、どこに効くかといえば、背筋上部胸裏部分にしか効果は出ません。

つまり、腰椎の3番が運動の中心の基盤となって動く運動ではなく、背筋群の一番強いところに負荷が集まってくるため、棘筋や腸肋筋、最長筋などが、もっとも群がってつっくいてるところが、胸椎の真ん中であるため、この部位から上がるようになるのは当たり前です。

さらに、背筋を反らすことで広背筋や僧帽筋がしまることによって肩甲骨を引き下げる同時に、肋骨面を下から引き上げるため、胸が反ってしまう。すると、トビウオのポーズでも腰椎部分、特に腰椎3番単体では動かないのです。だから、普通の背筋運動では、効果は表れないのです。

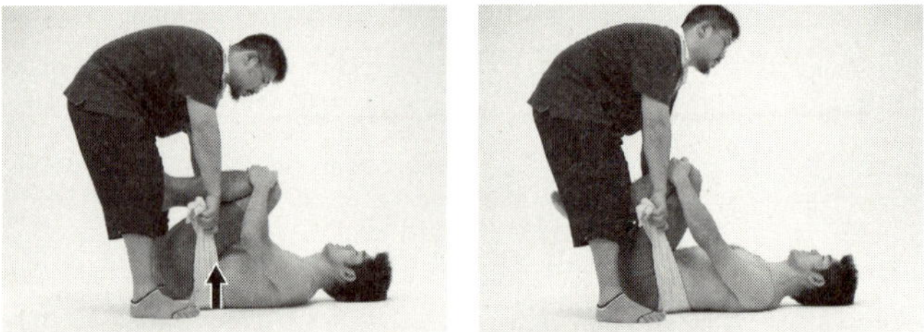

腰椎3番を前に出すためのトレーニング。膝を抱えてヘソを上に突き上げる感じで
腰を浮かせる。ひとりでできない人は、パートナーに手伝ってもらってもいい

“ナンバ”に必要な内腹斜筋と外腹斜筋

　一般的な日本人系身体形態タイプの人は走るときに、どのように腕を動かしてしているのかというと、横からみると、肩を中心にして腕を振り子のように前後させています。

　しかし、これでは振り子のようにして振り上げた腕は、一旦、止めて戻すことしかできません。止めるためにもチカラが必要になります。つまり、走るためだけにチカラを使えていないことになるのです。

　これでは「超走」はかないません。

　では、どうすれば振り上げた腕を止めるチカラをなくすことができるのか。

　答えは“ナンバ”です。

“ナンバ”では、肘が肩の代わりを果たして、肘を中心に肘から下が振り子運動を行う運動です。手首が肘の、指先が手首の働きをします。国内最速のスプリンター、末續選手はこの走り方をしていますし、長距離の選手は特にこの動きをします。ただ、短距離走者はそれを縦に使い、長距離走者は横に使って走ります。

　足と肩が同時に出るのが“ナンバ”走りの特徴です（これには肩のトレーニング［125㌻参照］が有効になります）。

　私がかねてから注目してきた世界のトップスプリンター

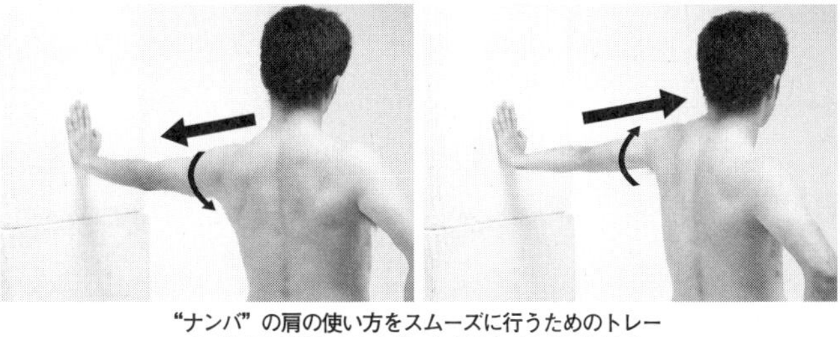

“ナンバ”の肩の使い方をスムーズに行うためのトレーニング。肩の動きをカラダに覚え込ませる必要がある

たち、特にアフリカ系身体形態タイプの選手たちの走りの動作中にみられる動きは、理想的な“ナンバ”です。

彼らは、カラダを左右へとスライドさせ、体重を移動させながら、前方方向へと歩を進めるという独特の移動方法、体重移動を自然と身につけています。これは、走るという動作だけではなく、彼らは普段の歩き方から、こうした動作をみせています。

無意識に絶えず生活の中で磨かれ、練り上げられたうえでの身体活動。生まれてからというもの、一日も欠かすことなく、生活中に絶えず訓練されているのですから、私たちが、多少仕草の真似をしてみたところで敵うはずがありません。この無意識の動作こそが、彼らの強さの秘訣のひとつだったのです。

しかし、「いつか彼らと肩を並べる日本人スプリンターをつくりたい」。そう思う私が、動作メカニズムの次に注目したのは、彼らの姿勢や筋肉のつき方でした。

特に注目したのは、日本人系身体形態タイプとは明らかに違う、彼らの胴回りの筋肉の異常なまでの発達でした。

この部分の筋肉は、カラダを左右方向へと傾ける際に、動作上、必ず必要となります。「異常なまでの発達をみせた筋肉」とは、私たち日本人系身体形態タイプにはあまり発達させることのできていない「内腹斜筋」（090㌻）と「外腹斜筋」（092㌻）と呼ばれる筋肉で、骨盤のすぐ上にある筋肉です。その盛り上がり方の凄さは骨盤からこぼれてみえるほどです。

逆にいえば、この筋肉を鍛えることにより、カラダを左右へ傾けることが可能となり、“ナンバ”を使った身体運動が速やかにできるようになるのではないか、と考えました。

また、内腹斜筋は、脚を前方へと運ぶ際に大腿筋膜張筋と協調的に働くことで、骨盤を前上方方向へと上げるように働く作用を持つ筋肉でもあります。つまり、脚が前へと出しやすくなるように働いている筋肉なのです（ちなみに外腹斜筋は、左右へと体を傾けるために使っています）。

第5章

超走
トレーニング

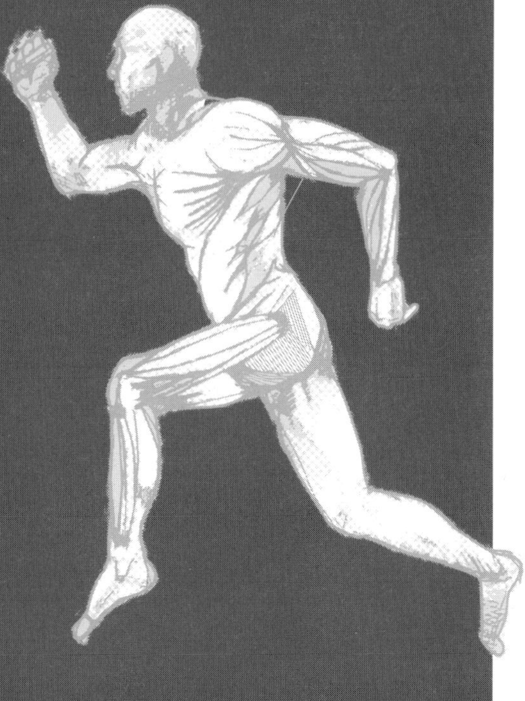

1 腸腰筋トレーニング

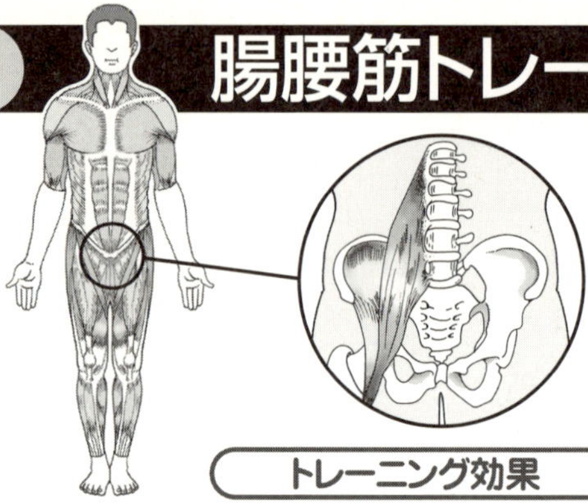

トレーニング効果

カラダの傾きに左右差があった場合、改善されることで骨盤のねじれがとれて、腰が安定します。また、体幹部の縦方向でのねじれと傾きに深く関係しているので、姿勢全体の改善のためにもぜひ行ってください。さらに、「ピッチ型」タイプ（061ページ参照）の場合では、特に蹴り出した脚の後方からの引き上げて前に出す（もも上げ）が速く、楽に行えるようになります。そのほか、スタート時の脚の引き上げ動作の速さにも関係しています。

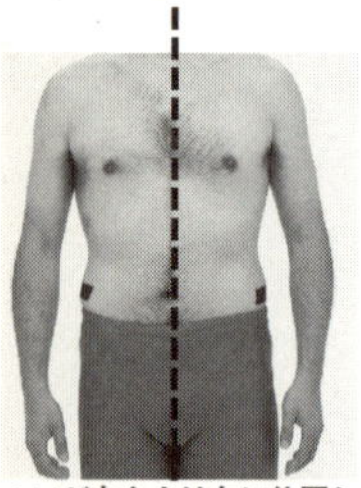

ヘソが中心より右に位置している

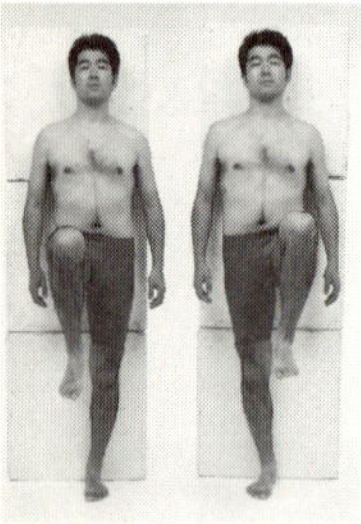

トレーニング説明

カラダにケガなど異常がない場合には、一般にヘソの向きと位置で弱い方向を知ることができます。（ヘソが向いている、位置している方向の腸腰筋の働きが弱い）。

動姿勢でのチェック方法としては、壁際に立って、足を前方にもも上げするようにあげ、膝の高さの違いをみます。これで、太ももが上がりにくい方の腸腰筋が弱いことがわかります。また、筋力が弱いと感じる人なら、上向きで寝た形で膝を曲げたまま、太ももを上げて左右差をみてみましょう。一般的に右利き腕の人の場合では、右側の腸腰筋が弱くなりがちです。

壁際に立った際、かかとを持ち上げてしまったり、上向きで寝た形で行うときに、脚全体が持ち上がってしまわないように注意して下さい。また、前もも部分の筋肉、特に大腿四頭筋の大腿直筋の影響を受けやすくなりますので、屈曲の際に少しかかとを内方に入れるようにして（外旋）ください。筋肉を使った感じが腰部分にあればOKです。

腸腰筋トレーニング

1 下腿部屈曲位保持での
仰臥位下肢屈曲・挙上

15回～

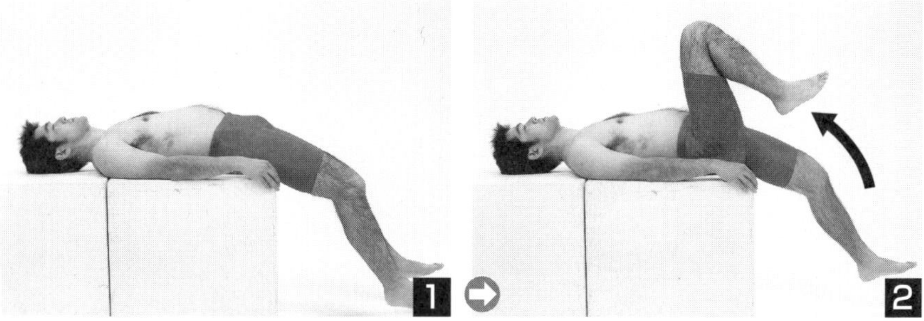

曲げる膝の角度は、あまりきつくせず、腿裏の筋肉は、使わないように気をつける。また、最頂点部まで、しっかりと膝を上げるように

腸腰筋トレーニング

2 下腿部屈曲位保持での
壁際立位下肢屈曲・挙上

20回～

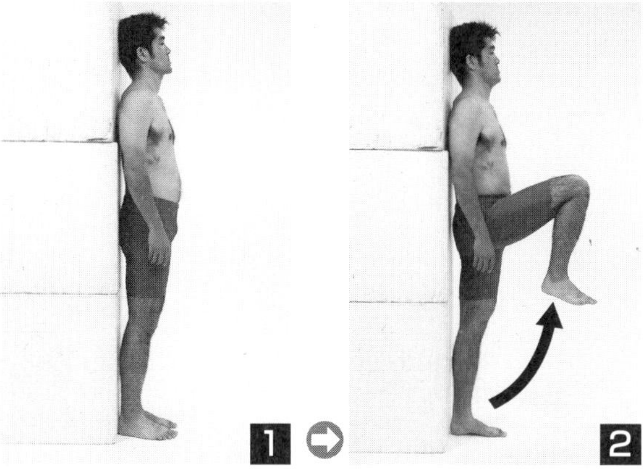

かかととお尻が、床から浮いたり、壁から離れないよう、気をつけて行うこと

2 大臀筋トレーニング

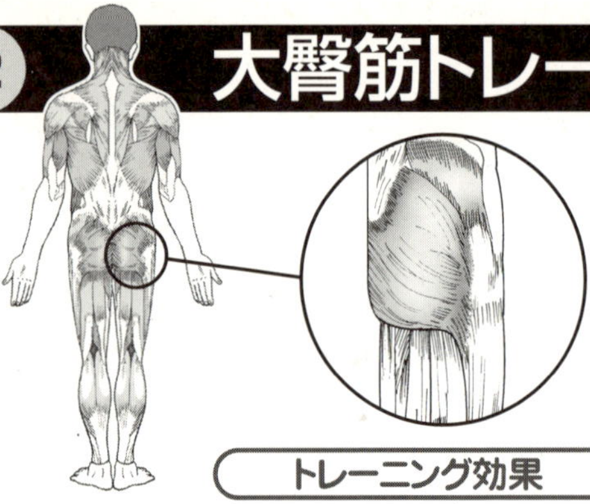

トレーニング効果

左右差があった場合、改善されることで骨盤のねじれが取れ（骨盤と荷重位置が筋力の弱い側に傾く）、腰が安定するとともに、脚を後ろ方向へと引きやすくなるため、走った際に後方でのストライドの伸びが期待できます。また、「ヒップリフレクション」（022ページ参照）を習得するためには、必須な筋肉のひとつです。さらに弱い側と反対側の脚は前に出にくくなりますから、改善後は、反対側の脚の前方向への足運びがスムーズになります。

ハムストリングスなど、太もも裏側の肉離れを経験している人は、この筋肉の左右のバランスが悪いことが原因のひとつですから、改善されれば肉離れの再発防止にもなります。

トレーニング説明

伏臥位（うつぶせ）で、脚を完全に伸ばした状態での股関節伸展・挙上テスト（トレーニング1）を行うことで、左右の弱い側を知ることができます。また、背臥位（あおむけ）で脚を曲げ、脚を使った状態での上体挙上動作（トレーニング2）でもチェックは可能です。伏臥位、特に背臥位、四つん這い（トレーニング3）、のいずれかの姿勢で行いやすいトレーニング方法となります。

トレーニング動作の1・2がそれぞれテストになります。また、筋肉の左右のサイズの違い、スクワット時のお尻が傾いて下がりにくい方向などから弱い側がわかります

股関節伸展動作中には、意識的に外旋・内転方向に動かすように行いましょう。また、左右の大臀筋の大きさの違

いをメジャーなどで測ってみれば、一目瞭然かもしれません。

動作側と反対側の腕部の挙上による制限動作は、骨盤部のねじれ動作による誤魔化しを防ぐうえで有効です。そのほか、この大臀筋は、腸腰筋のチェックがうまくいかない場合にも原因のひとつとなる筋肉ですから、同時に改善を行いましょう。

大臀筋トレーニング

1 下肢部軽度屈曲外旋位保持での **伏臥位下肢伸展・挙上**

15回～

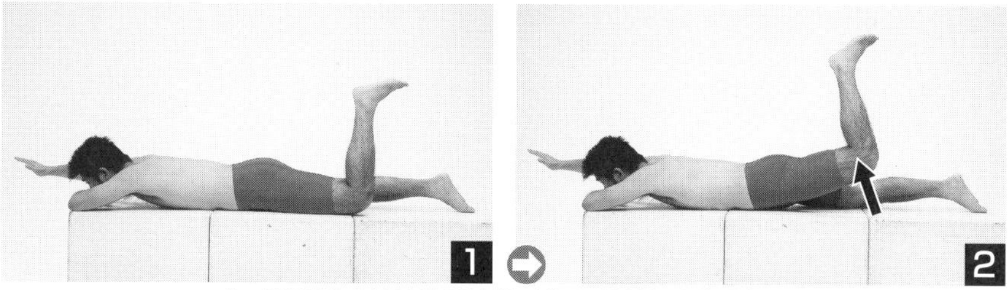

うつぶせに寝たまま足と逆の手を前に出して、腰を浮かさずに骨盤をつけたままで行うように

大臀筋トレーニング

2 下肢部軽度屈曲外旋位保持での **仰臥位体幹部挙上**

20回～

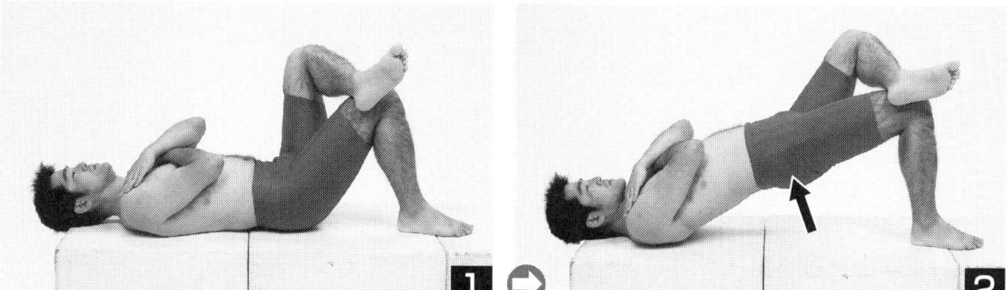

肩は上げずにつけたままで、両手を胸の前でクロスさせ、片足を組んで臀部を上げる。バランスが取れない人は、最初のうちは手を床に広げたままの体勢でもOK

大臀筋&中・小臀筋複合トレーニング

3 股関節伸展・下肢外旋挙上

10回～

ピッチ型

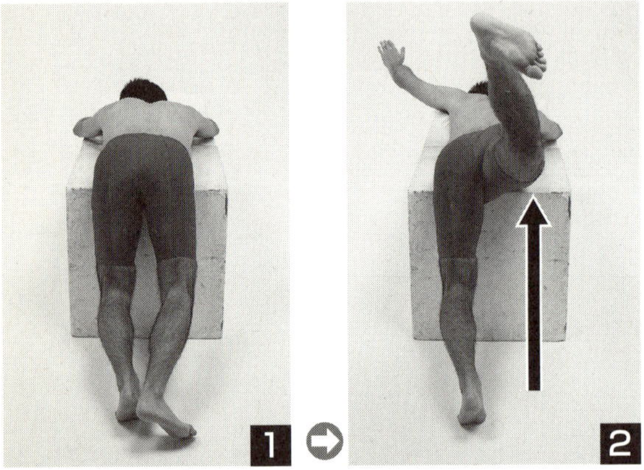

膝を伸ばしたまま、膝を外側に向けて後上方に上げること。また、床と平行以上に上げるよう心がける

ストライド型

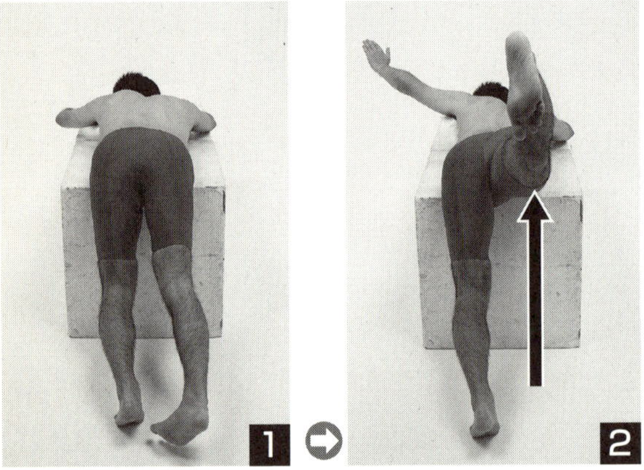

膝を伸ばしたまま、膝を内側に向けて後上方に上げること。また、床と平行以上に上げるよう心がける

3 中・小臀筋トレーニング

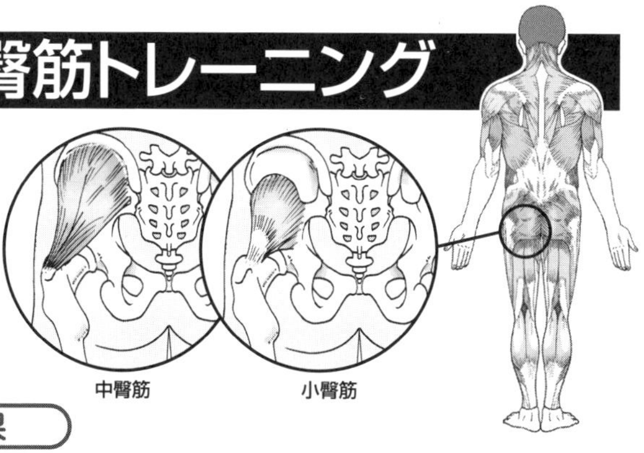

トレーニング効果

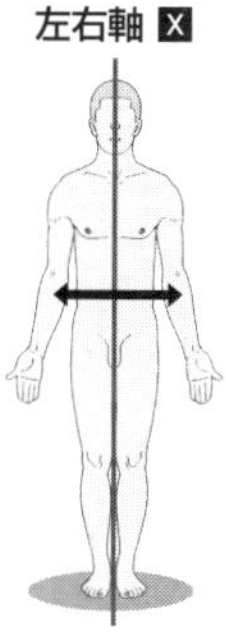

左右差があった場合には、改善されることで横方向（X軸方向）での骨盤部の傾きが修正され、腰部、横方向での動揺性の安定を図ることができます。さらに横方向での動揺が改善されることで、左右方向へとチカラを逃がすことなく伝えやすくなるため、直進性が安定し、スピードも増します。

また、特にサッカーやバスケットボールなどでの、横方向への速い移動時に働く筋肉であるため、改善されたなら、この筋群を原因とした膝や足首の捻挫もなくなります。

トレーニング説明

立って側方へ足を上げることで弱い側を知ることができます（軸足の支持が不安定な側）。また、横を向いて寝て（側臥位）行っても、つま先を前かやや下向きにして真横に上げることで弱い側を知ることができます（挙上時の高さが低い側が弱い側となります）。また、強い側方向へは、骨盤が下がってみえます。

また、特にこの動作を側臥位で行う際には、足を上げる際に骨盤が上がってしまうため、骨盤を手で押さえ込む必要があります。この筋群は、股関節が真横に働く際の筋肉ですから、トレーニングやチェックの際には、足の中立維持が肝要となります。一般的に右利き腕の場合では、右側の中・小臀筋が弱くなりやすいようです。

中・小臀筋トレーニング

1 下肢部内旋または中間位保持での
側臥位下肢外転・挙上

20回〜

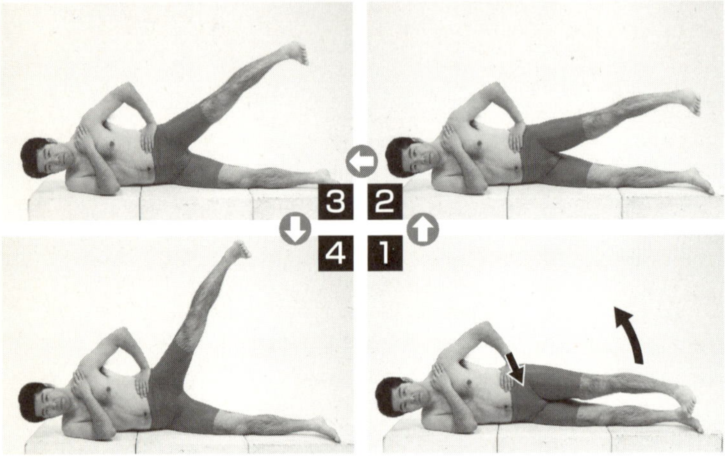

手で腰をロックした状態で、上の足をまっすぐ上げる。手を腰におかないと腰から上にあがってしまうので注意しよう

中・小臀筋トレーニング

2 下肢部内旋または中間位保持での
壁際立位下肢外転・挙上

15回〜

カラダが脚を上げている反対方向へと逃げてしまわないよう、気をつけること。お尻は壁へつけて、脚はできる限り壁に沿うように上げる

中・小臀筋トレーニング

3 前後クロス トップからボトムまで

15回～

＜前～後方向へ＞

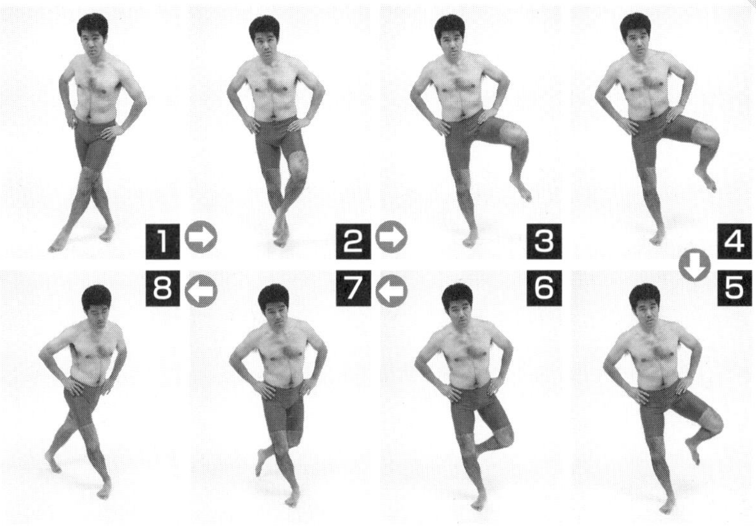

＜後～前方向へ＞

足を前後にクロスさせる。両手を腰にあてて行い、軸足側の骨盤の上げ下げを意識しよう

4 内転筋群トレーニング

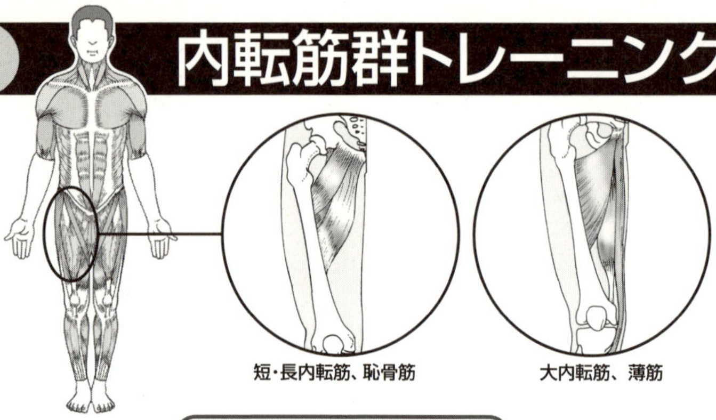

短・長内転筋、恥骨筋　　大内転筋、薄筋

トレーニング効果

この筋肉群は、両脚を内側へ引くとともに、開きがちで前傾気味になっている股関節部と骨盤を腹筋群とともに修正し、安定させる作用を持っていて、ピッチ型（ガニ股）で行っている運動（股関節を外へ回しながら［外旋活動］前［屈曲］・後［伸展］へと動かす）には欠かせない筋群です。ですから、この筋群に左右差があった場合には、改善されることで、弱い側の股関節の内側方向において脚の支持力が向上します。

トレーニング説明

筋肉のチカラは反対方向（股関節屈曲、内旋作用の筋肉に比べ）へと動かす筋肉群の約3倍あり、その大半は「平行筋」です。

この筋群は、ひとつひとつの筋肉が、各々複雑な働きを持っているために複合的で多方向的なトレーニングが必要となってきます。あまり慣れていない筋肉の活動を行うので、できる限りゆっくりと、大きく鍛えることを意識してください。

満遍なく、各筋肉を刺激することができるので、先に行った股関節部での「8の字運動」を下脚バージョン（内腿）でも行いましょう。一般的に右利き腕の場合では、左側の内転筋群が弱くなりやすいようです。

中・小臀筋トレーニング

1 下肢部中間位保持での 側臥位下肢外転・挙上 20回～

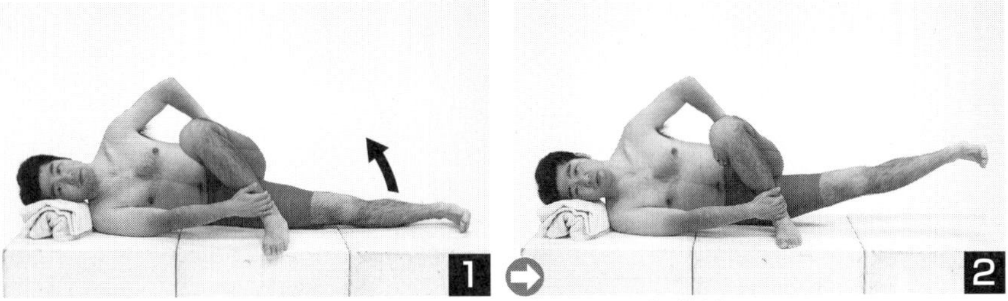

「8の字」をする前に足を内側に上げるトレーニング。横を向いて寝て、下の足を伸ばし、上の足を前に折り曲げ、その足首を下の手で押さえる。上の手はしっかりと骨盤を固定させて行うこと

中・小臀筋トレーニング

2 8の字運動（下脚バージョン） 15回～

お馴染みの「8の字運動」の下脚バージョン。上半身と下半身がまっすぐになるようにカラダを伸ばし、下脚の膝を折り曲げ、前に突き出して両足の形が数字の「4」になるように。上の足を膝を曲げずに上げて、足先を直角にしたまま、足で数字の「8」を横に描くように前から回す。このとき「8」の真ん中の交差点が、まっすぐにしたカラダのライン上にくるようにして足を回す

5 腰方形筋および脊柱起立筋・広背筋トレーニング

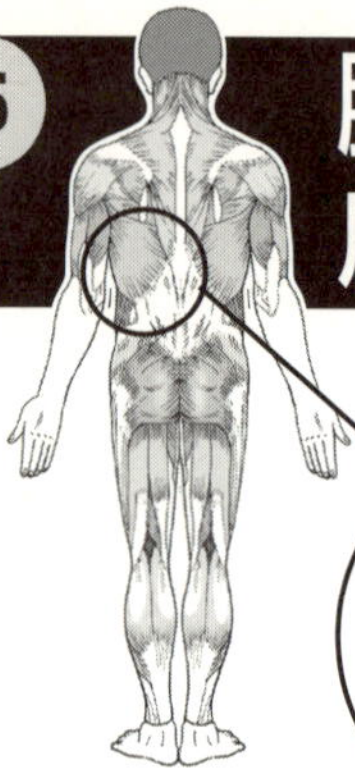

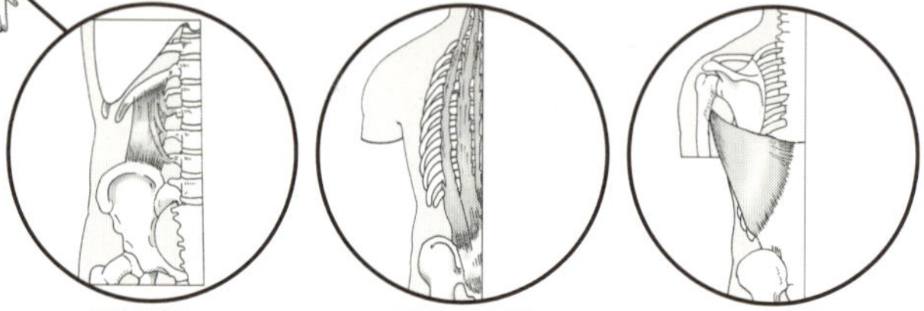

トレーニング効果

これらの筋群に左右差があった場合は、改善されることで弱い側の体幹部での傾きが修正され、カラダ全体の横方向での働きが安定します。

これらの筋群の性質として、強い側に肩と骨盤が引っ張られることで肩は下がり、骨盤は上がります。また、同じ側の中・小臀筋の弱化も引き起こりやすいために、より強い側へと体幹部が傾き、同じ側に転倒も発生しやすくなります。

利き手の働きの影響を強く受け、姿勢にも大きく影響する筋群だけに、特に改善が必要です。

トレーニング説明

体幹部の側壁部分のトレーニングとなりますが、このあたりには複数の筋肉が折り重なるように存在するため、ひとつひとつを意識することは非常に難しいので注意が必要です。特に、頭の角度や、カラダの向きには十分注意して行って下さい。

また、体幹部のねじり方にも注意が必要です。カラダの中央部分から下半身に対して、90度にねじ切る感じにすると、作用がわかりやすいでしょう。

この部分の筋肉を動かす際には、ほかのトレーニングでもみられる代償性運動（トリックモーション）が起こりやすくなります。こうなると、目的とする筋肉がしっかりと働かず、効果が薄れてしまって、中・小臀筋の影響も受けやすくなります。そうした事態を避けるためにも、脚の間にタオルやクッションなどを挟んでトレーニングを行いましょう。

一般的に右利き腕の場合では、左側の体側部分の筋肉が弱くなりやすいようです。

腰方形筋および脊柱起立筋・広背筋トレーニング

1 股関節・膝関節90度屈曲位および体幹部回旋位保持での**側臥位体幹部側屈・挙上**

20回〜

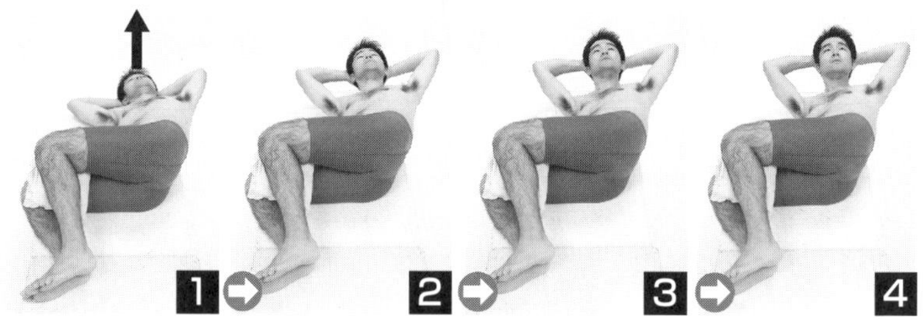

横を向いて、タオルを両膝の間に挟んで90度に曲げ、上体のみ仰向けになり、後頭部で両手を組み、顔を真上に上げる感じで上体をゆっくりと上げる

腰方形筋および脊柱起立筋・広背筋トレーニング

2 背臥位での左右側屈

20回〜往復

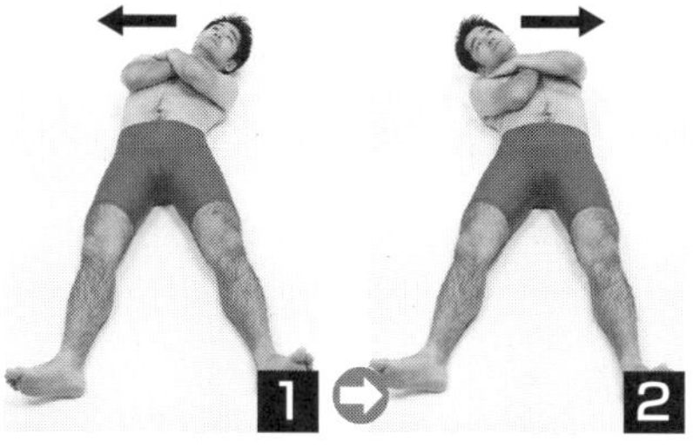

両脚は肩幅ぐらいに開き、頭と上体を床から浮かさないようにスライドさせる感じで行うこと

6 内腹斜筋トレーニング

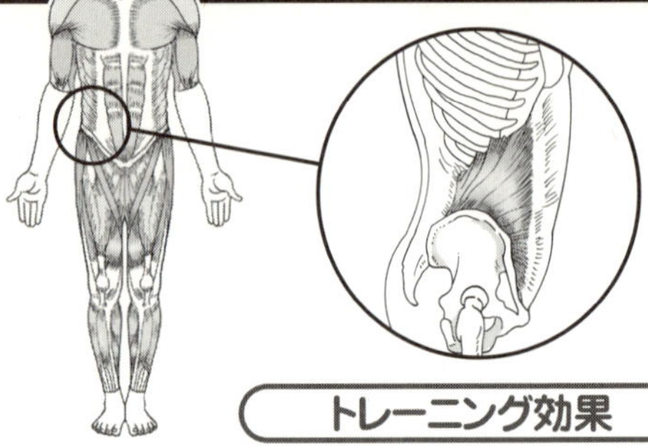

トレーニング効果

筋力に左右差があった場合は、改善されることで弱い側の骨盤の持ち上げ（挙上）が楽に行えるようになります。

また、脚全体を前方方向へと送り出し、運ぶ際に骨盤ごと全体での運動が行えるように修正されることで、ストライドの伸びに影響します。「ストライド型」走法タイプ（061㌻参照）には、大腿筋膜張筋とともにぜひ鍛えてもらいたい筋肉です。

また、強い側へとカラダが傾きやすくなるので、改善後は、腰の働きが安定します（強い側へとヘソの位置が引っ張られ位置が変わります）。

クロスステップを使った左右への速い切り返し動作やフェイントをかける際によく使われている筋肉です。

トレーニング説明

筋力の左右差を調べるのにもっとも簡単な方法は、横座りになってみることです。この場合、弱い側ではうまく座ることができません。逆に強い側では座りがよいと感じます。

体幹部の側壁部分のトレーニングとなるので、「5．腰方形筋および脊柱起立筋・広背筋トレーニング」の説明同様、頭の角度やからだの向きに十分注意し、代償性運動がみられやすくなるため、脚の間にタオルやクッションなどを挟んで行いましょう。

また、内腹斜筋は外腹斜筋と違い、カラダが後ろ方向へ反った状態（体幹伸展時）のときに働きやすくなるため、少し足を伸ばした状態でトレーニングを行いましょう。

体幹部のねじり方にも注意が必要です。首から下部分に対して、頭を下方向へと床にオデコをつけに行く感じで、90度にねじ切る感じにすると、作用がわかりやすいでしょう。

右利き腕の人は、左側が弱りがちです。

内腹斜筋トレーニング

1 股関節軽度伸展位・膝関節軽度屈曲位および頭部下方回旋位保持での側臥位体幹部側屈・挙上

20回〜

<横から>

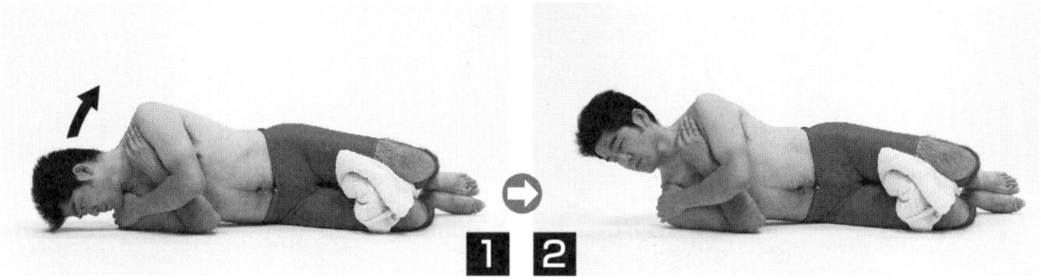

<上から>

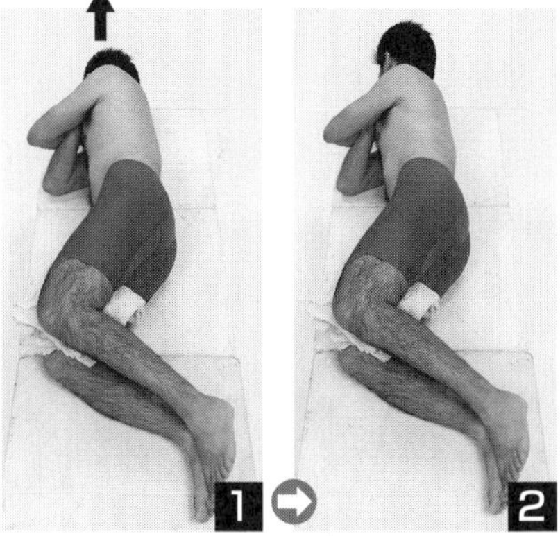

脚を軽く曲げ、横向きで寝る姿勢で、両手を胸の前でクロスさせる。顔を下に向けたまま後頭部を真上に上げるつもりで腹筋する。ポイントは、丸めずに行うこと

7 外腹斜筋トレーニング

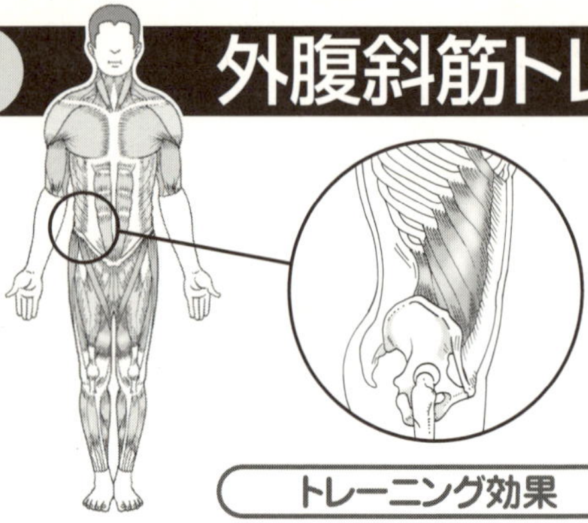

トレーニング効果

筋力に左右差があった場合は、改善されることで弱い側の上半身の回転動作（回旋）と“ナンバ”動作を行う際や、打撃時に必要となる上半身部での側方方向へのスライド動作が楽に行えるようになり、能力が向上します。

また、前鋸筋とともに働くことで、肩と肩甲骨が前方へと出しやすくなるため、改善後は、肩の動きがよくなり、可動域も広がることで働きも安定します。

また、外旋状態の脚を前方方向へと引き出す際に体幹部分とともに補助的に働くため、ピッチ型タイプには特に鍛えてもらいたい筋肉です。

トレーニング説明

体幹部の側壁部分のトレーニングとなるので、「5．腰方形筋および脊柱起立筋・広背筋トレーニング」と「6．内腹斜筋トレーニング」と同様に、頭の角度やカラダの向きに十分注意して行ってください。

また、やはり代償性運動が起こってしまうことで、弱い側の腰方形筋や広背筋、内腹斜筋などの影響を受けやすくなります。

この外腹斜筋は、内腹斜筋と違いカラダを前方向へと少し屈《かが》ませた状態（体幹屈曲時）のときに働きやすくなるため、股関節、膝関節ともに90度に抱え込むように曲げた状態で行います。

また、体幹部のねじり方にも注意が必要で、首から下部分に対して、頭を上方向へと床に後頭部をつけにいく感じで、90度にねじ切る感じにすると、作用がわかりやすいでしょう。

利き腕の肩が下がってみえる側は、逆の外腹斜筋は強く働きやすいので、右利きの方の場合では、左側の方が強く働いています。つまり、左側が内腹斜筋の弱い側になります。

外腹斜筋トレーニング

1 股関節軽度伸展位・膝関節軽度屈曲位および頭部下方回旋位保持での
側臥位体部側屈・挙上

20回～

<横から>

<上から>

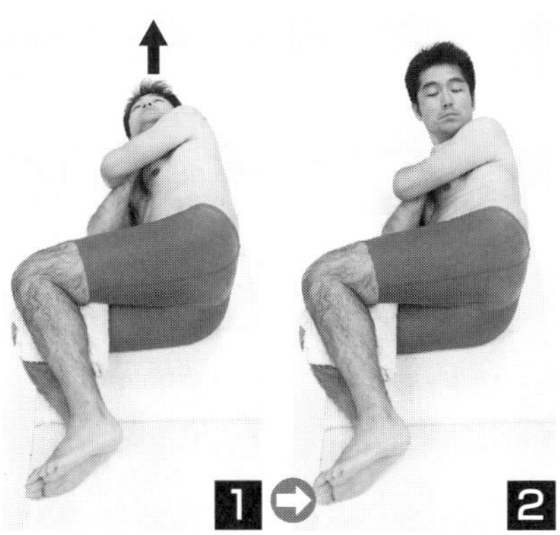

「腰方形筋トレーニング」同様、横になって両膝を90度に曲げ、タオルを膝の間に挟む。上体を横にしたまま、両手を胸の前でクロスさせ、顔だけ骨盤の大転子（股関節の付け根部分の骨）に向け、横腹で腹筋する

チェック I

体幹上部（僧帽筋および脊柱起立筋）動作チェック

●正座位での他動的肩部下垂強度テスト（帆船モデル動作テスト）

体幹上部にある僧帽筋と脊柱起立筋の動きをチェックして、それぞれの筋力バランスをみていきます。

それでは、まず2人1組になって、1人は正面を向いて座り、もう1人が座っている人の左右の肩に両手をあてて、片方ずつ下に押し込みます。右利きの人は、大抵、右肩が下がっているために右の方が下がりやすい傾向はあります。

次に、座っている人は、両手を写真のように上げてみてください。そして、立っている人は先ほどと同じように座っている人の肩を押し込んでみてください。すると、両手を上げたことによって、僧帽筋が働くため、肩が下がらなくなります。

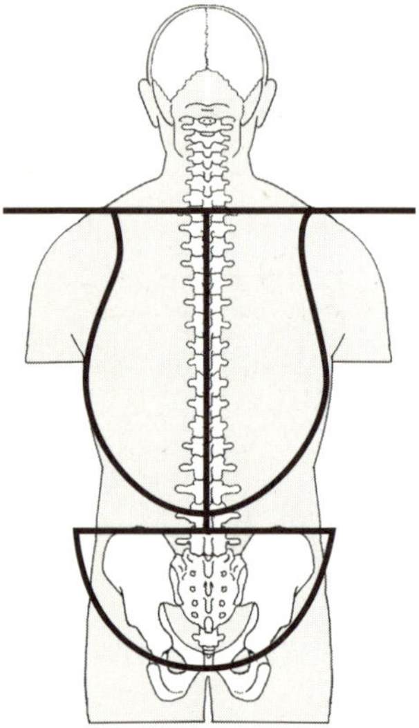

この形を私たちは「帆船モデル」と呼びます。

人体の骨盤を船体、背骨をマスト、肩のラインをマストの梁、後背筋と僧帽筋を帆と考えた、上体の形のことです。野球のピッチャーが投げるモーションの中に、よくこの「帆船モデル」が見受けられます。

この「帆船モデル」の形が崩れていたなら、体幹の働きが悪くなっていると考えられます。最初にやった両手を下げた状態で、押された肩が下がりやすかった方の筋力が弱いと考えてください。

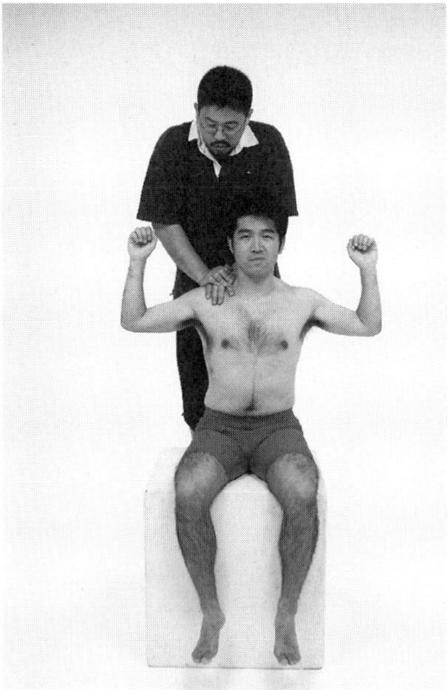

両手を写真のように上げることによって、僧帽筋が作用して肩が下がらなくなる（※わかりやすく見せるためにここではイスに座った上体で撮影）

座っている人は、まっすぐに背筋を伸ばし、肩を押し込まれた際に、意識的に踏ん張らないようにする「帆船モデル」のポーズでは、僧帽筋がおもに働く

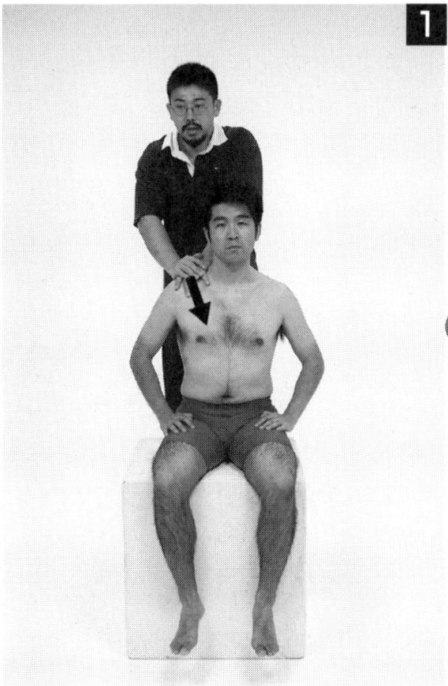

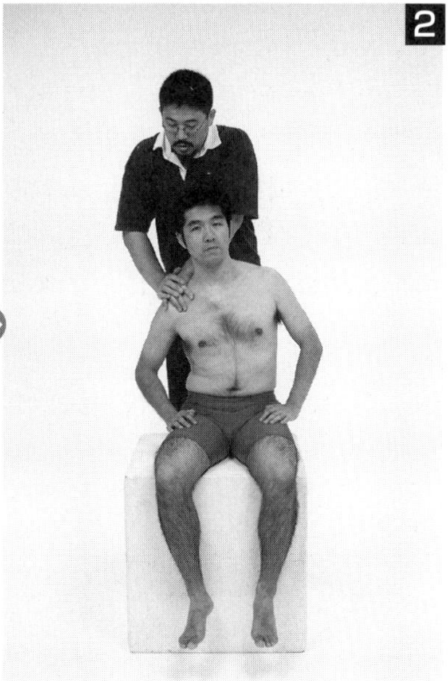

チェックⅠの結果を基とした修正トレーニング

8 体幹上部（僧帽筋、脊柱起立筋）トレーニング

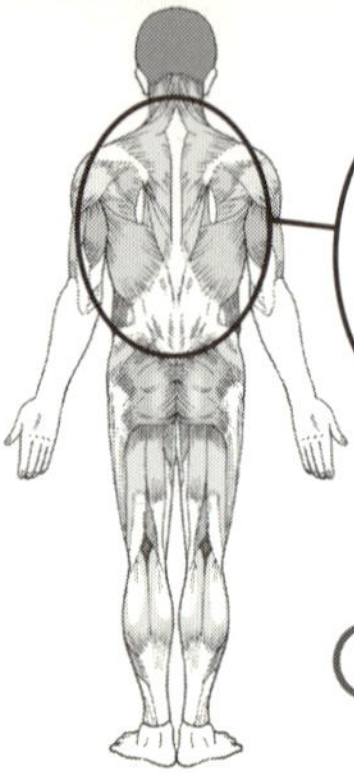

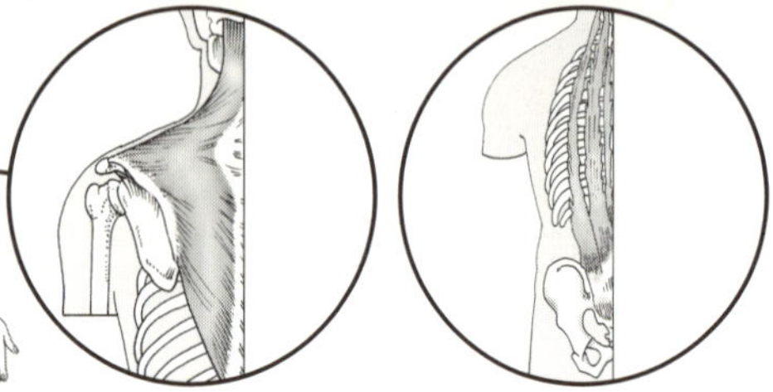

トレーニング効果

筋力に左右差があった場合は、改善されることで筋力が弱い側の肩と体幹部の働きが向上します。この筋肉の働きが修正されることで、弱い側へと傾きがちな体幹部は修正されます。

また、野球での投球時やテニスでのサーブ時などに、体幹上部が不安定なことによって生じてしまうカラダの回旋時の異常や、球筋が定まらないなどの症状を改善することができます。

トレーニング説明

このカラダの働きは、骨盤部分を船にたとえたならば、体幹上部を形成している筋肉部分と肩の関節部分との関係は、柱とマスト、マストを調整するためのロープとしてみることができます（094㌻参照）。

柱とマスト、それぞれを調整するためのロープである体幹上部の筋肉群と脊柱が不安定ではじめから傾いている状態であれば、重心そのものが片寄ってしまいます。となれば、船の役割となる骨盤部も安定するはずはありません。

つまり、カラダ全体から考えた修正が必要となるのです。

そこで、特にこの部分の筋肉群が持つカラダへのバラン

ス作用は、安定した体幹部を得るうえで、大切な働きのひとつとなります。

しかし、ある程度のカラダの傾きは、下半身部の筋肉部分で修正してしまうため、この部分の筋肉だけを競技中と同じ立ったままの姿勢で刺激し、かつ、改善できるようにトレーニングを図ることは、大変に難しいといえます。

そこで、私は、わざと体幹部を不安定にさせることで逆に支持機能が向上し、働くよう筋肉に作用するトレーニングと修正方法を考えました。

立位で片脚を挙げる状態にすることで、より不安定な方向へと仕向け、より高いバランス能力を得させようとする、このトレーニングがそれです。これは、昨今、流行っているバランスボールトレーニングと同じ発想です。

注意点としては、肩の下がっている方向の脚を上げて行うことです。こうすることで、体幹部でのチカラの働き具合を、強く感じることができるようになることでしょう。

体幹上部（僧帽筋、脊柱起立筋）トレーニング

1 立位片側下肢挙上位保持でのショルダープレス 20回～

ペットボトルなどに水や砂などを入れて重りをつけ、弱い側を台の上などに置いて、ペットボトルを持ち上げる

チェックⅡ

バランススクワットによる動作チェック

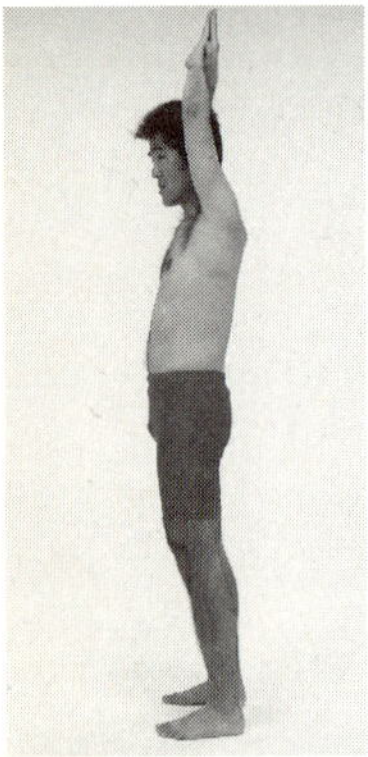

腕部分の働きを制限することで、体幹部の働きを確認することのできるチェック方法です。特に、腹筋、背筋部の働きの異常によるカラダ前後の傾きや、臀筋部分の作用状況を確認することができます。

この姿勢をとった際、極端に前傾してしまう人は、腹筋部に比べ、背筋部の筋力の弱化が目立ちます。また、股関節部分の働き、特に臀筋部の働きにも異常がみられます。

正しいコアラインを離れ、過度に後傾気味になってしまっている人は、その逆に腹筋部が弱化していることになります。

このチェックを行ううえで大切な決まりごとのひとつは、腕を組む際に両肘を抱えさせる形で頭の上で組む、または、頭の上で腕を伸ばした格好のままでねじるように組むことです。

ふたつめは、できる限り前屈《かが》みにならないように、体幹部を起こした状態で行うことです。また、かかとが腰を下ろした際に上がってしまわないように気をつけることも大切です。

この動作ができない人の大半は、足関節部が硬く動きが悪いとよくいわれますが、どちらかといえば、股関節部での屈曲の作用が鈍い、または、制限されているために動作そのものに支障をきたしている場合が多いのです。

この改善方法としては、先にあげた腸腰筋の訓練と使い方が重要になります。

まず、腸腰筋の働きを高め、股関節部での屈曲作用力を高めてから行い、また、使い方やその考え方も重要となります。

脚を持ち上げる行為と腰を下ろす行為は、まったく同じ運動として観ることができますが、腰を下ろそうとし、踏ん張ってしまうために、関節部でムダな力みが生じてしまうので、両脚を床から浮かすように、頭でイメージし、意識を変化させながら、行ってみてください。

　こうすることで、股関節部は曲がりやすくなり、このポジションをとりやすくなります。

●バランススクワットによる動作チェック

<横から>

<前から>

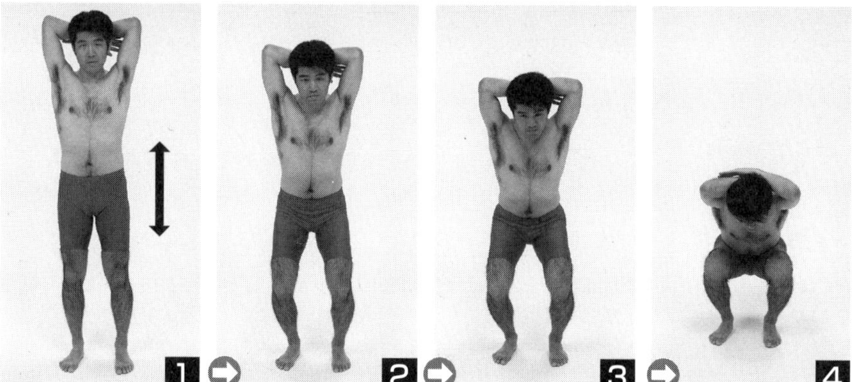

肩幅に足を開いて立ち、両手を頭の真上に上げてできるだけ高い位置で交差させ、カカトが上がらないようにしてまっすぐ下にスクワットする。背筋群の力が弱いと前に倒れて、腹筋群の力が弱いと後ろに倒れる

チェックⅡ の結果を基とした修正トレーニング

9 梨状筋および股関節周辺小筋群トレーニング

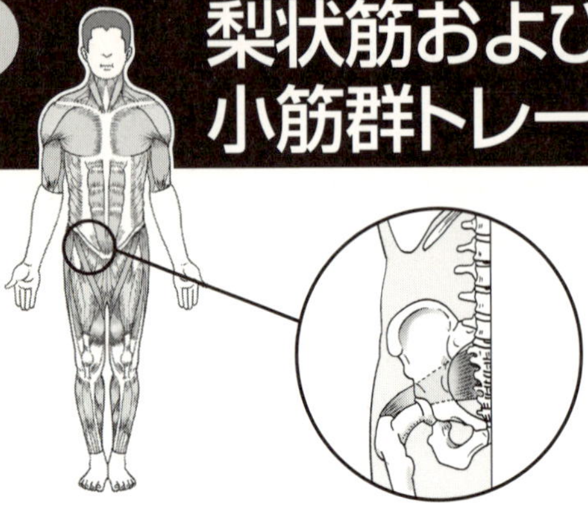

トレーニング効果

筋力に左右差があった場合は、改善されることで弱い側の股関節部屈曲時の脚の外転・外旋動作と、股関節伸展時の外転動作が容易になります（股関節60〜70度屈曲までの活動。それ以上では、外転・内旋・伸展活動）。

この筋肉の働きが改善されることで、走行時の左右外方向への動作切り替え（ノーマルステップの場合）が速くなります。

また、この筋肉の弱い側では、骨盤と腰椎の前方同方向への回旋と前彎《わん》が起きやすくなり、また、弱い側にカラダは傾きます。上を向いて下半身のチカラを抜いた際に、脚が異常に外へと開いてしまう方向の筋肉の緊張が高いのでチェックしてみて下さい。

作用としては、サッカーでのリフティング動作時や、つま先で外方向へとボールを出すときなどに使われています。

トレーニング説明

この筋肉は、カラダの前方方向（股関節部屈曲）では、おもにつま先がカラダの外を向く、外旋方向へと働きやすく、逆に、カラダの後方方向（股関節部伸展）では、つま先が内を向く内旋方向へと作用するため、以前にも紹介した「8の字運動」が最適です。

　この運動を行うことで満遍なく筋肉を鍛えるためにも、特にカラダの後ろ方向での脚の動かし方を大きくして下さい。

　一般的に右利き腕の場合では、左側の梨状筋が弱くなりやすいようです。

梨状筋トレーニング

1 側臥位にて下肢部の「8の字運動」

20回〜
往復

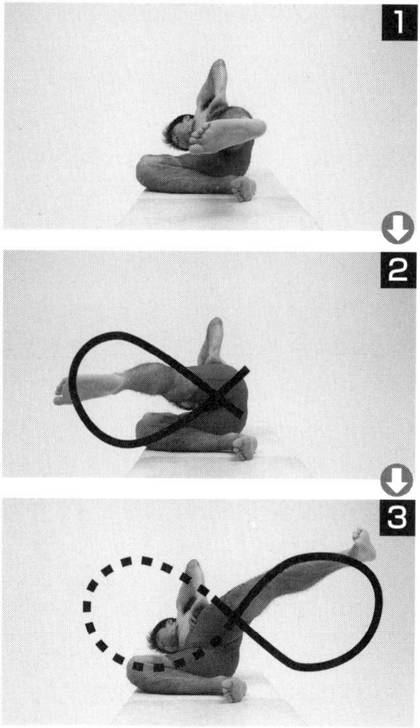

下足を曲げて上からみた形を数字の「4」にする。上体と下体をまっすぐにして、前の円を小さく描くことが上手に行うコツ。カラダ全体がふらつかないように気をつけること

梨状筋トレーニング

2 股関節の内・外旋運動 — I 30回～

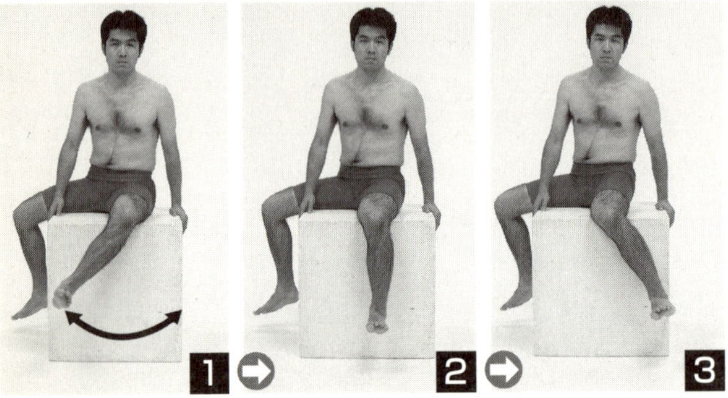

台の上にまっすぐに座り、片方の足を90度開いて横にし、前に出した足の膝から下を左右に持ち上げる。このとき、上体はまっすぐにし、両手で台をつかんでバランスを整えながら行うように

梨状筋トレーニング

3 股関節の内・外旋運動 — II 30回～

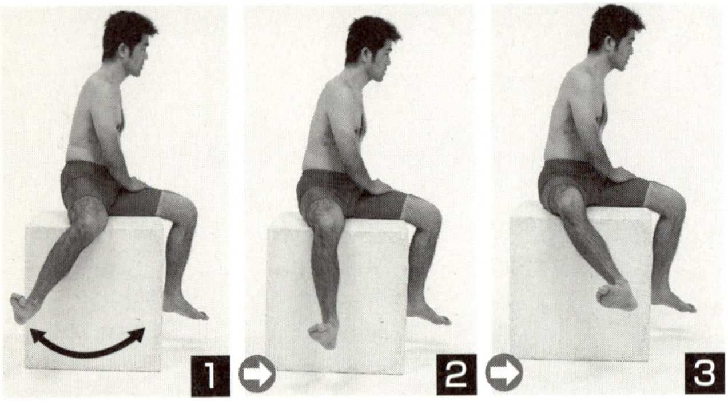

今度は、同じ上体から90度に開いた方の足の膝から下を左右に上げ下げする

梨状筋トレーニング

4 股関節の内・外旋運動—Ⅲ

30回～

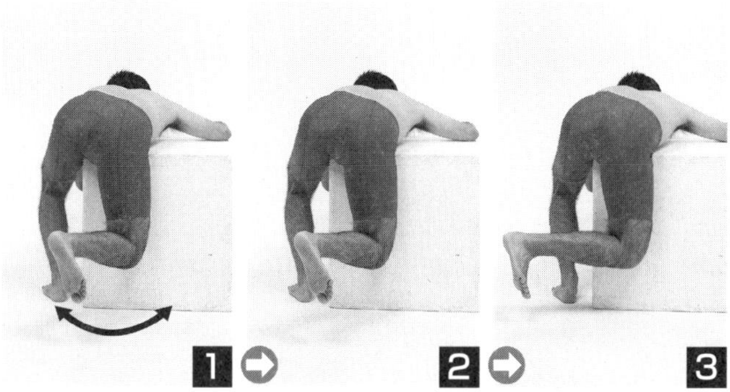

台に上体をうつぶせにし、半身をずらして片足だけ残す。膝を台につけたまま、膝下を90度曲げて左右に回旋させる

梨状筋トレーニング

5 股関節の回旋

20回～往復

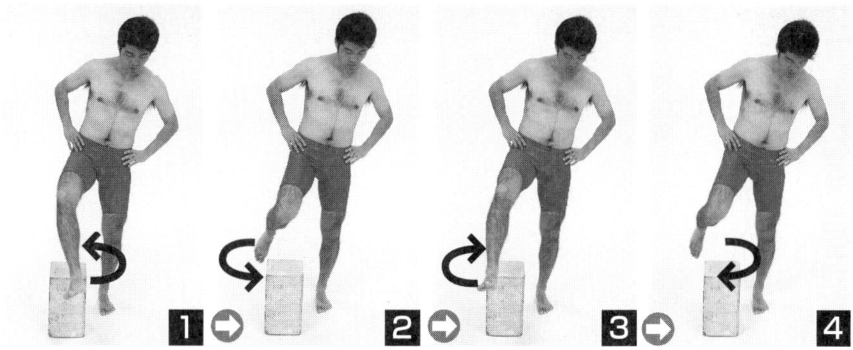

筒状のモノを置き、少し後方に立って両腰に手を充てて上体を固定させる。筒の上に膝を突き出して膝下だけを回旋させる。内旋、外旋をそれぞれ行うこと

チェックⅡの結果を基とした修正トレーニング

10 脊柱起立筋群トレーニング

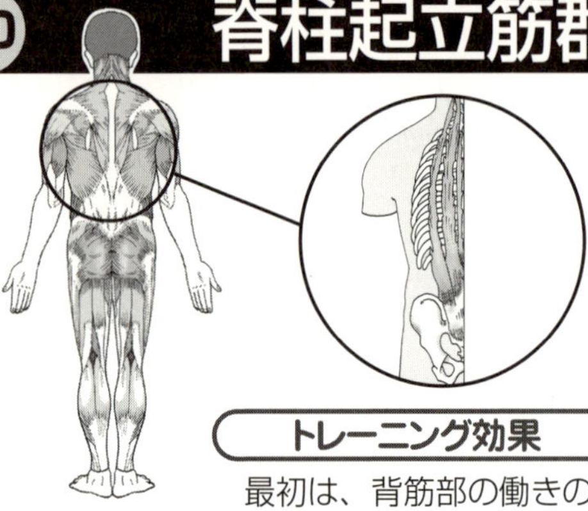

トレーニング効果

最初は、背筋部の働きの低下がみられる、バランススクワット時に前傾してしまう人の修正トレーニングから説明します。

この修正トレーニングで必要なことは、腰椎と胸椎部の働きと可動域を正しく働くように仕向けさせることです。改善されることで、体幹部で起きる不安定な前後方向での動揺性を改善することができ、また、結果として本来の動くべき関節部分へと支点位置が変わるため、下半身部分と上半身とのスムーズな連動を得ることができます。

さらに、慢性的に起こっている腰痛の緩和などにも効果があることでしょう。

トレーニング説明

このパターンの場合、よくみられがちなことは、大腿四頭筋、特に大腿直筋の短縮や過度の緊張です。また、このため、前屈《かが》み気味な姿勢をとることが多く、胸椎上部の働きも悪く、猫背になりがちなタイプであるともいえます。

また、股関節周辺の働きの悪いタイプである「アンクルリフレクション」タイプに分類できるため、股関節部の可動域は狭いうえに悪く、うまくフルスクワットの状態で座ることができない人が多いです。このため、股関節部分を補助する目的のために、先に胸椎部分での可動域の改善と確保が必要となります。

ですから、最初に行ってほしいのは、腰椎3番の可動不良の改善トレーニングです。

この運動を行う上で大切なことは、ハムストリングスと臀筋部の活動を利用することで、腰椎3番の働きをよくしてあげることです。また、それには、この腰椎3番が動いているという意識を持つことです。

この部分の関節の動きを阻害してしまっている理由のひとつが、大腿四頭筋の可動域の不足とそれらを原因とするもも裏の筋肉、つまり、大腿二頭筋などハムストリングス部の硬化なので、まずはトレーニング上必要となるこの部分の改善から始めましょう。

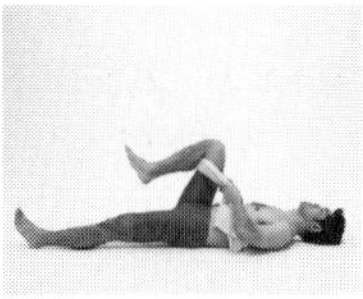

右の写真のトレーニングでの動作上の注意点としては、運動を行っている側とは、反対側の下で伸ばしている脚が、床から浮かないように心がけながら運動し、ヘソを突き出す感じで行ってください。

上記の運動でハムストリングスの硬化改善がなされたなら、次のレベルに進みましょう。

次の動作は、両脚を抱え込みながら腰椎3番を前へと突き出すように腰を反らさせる運動です。できる限り抱え込んだ脚を伸ばさずに、ヘソを突き出すようにしましょう。

これでも、動かし難い方のために、ペアで動きの練習をする方法も合わせて紹介しておきます。個々のレベルに応じた使い分けをしてみてください。

またさらに、その後の筋肉のさらなる強化方法として、両脚の足の裏同士をつけたままの体勢で、股関節部を左右へと開き、その姿勢のままうつ伏せの状態をとり、背中側の筋肉を使って上体を起こすトレーニングがあります。

この運動姿勢を採ることで、腰椎中央部分へと筋肉が近寄るように集まりますから、より腰椎3番部分を強く刺激することができます。できる限り足裏同士を合わせた部分を離さずに、両足先が床に着くように保って、両脚をできる限りお尻の近くに寄せてくることがポイントです。

脊柱起立筋群トレーニング

1

腰椎3番強化

30回～

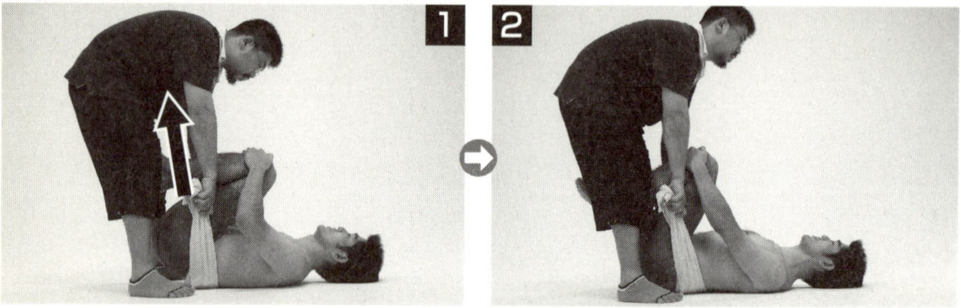

腰椎の3番目、両膝を抱えてヘソを真上に上げる感じで。背中がついたままの人は、ペアになって、タオルを使って写真のように引っ張っり上げてもらうと効果がある

脊柱起立筋群トレーニング

2

伏臥位両下肢開拝位保持での
体幹部伸展・挙上

20回～

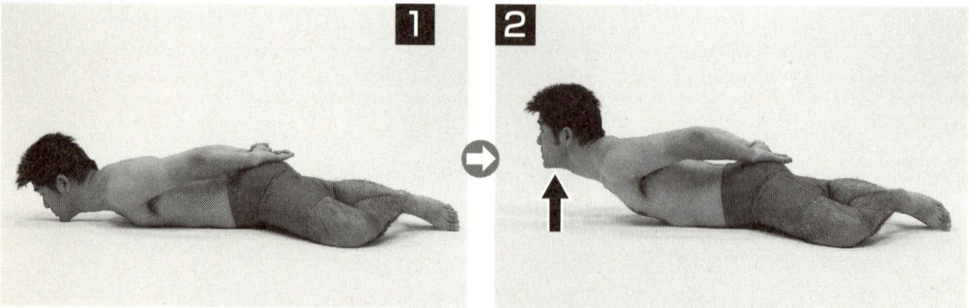

両足のカカトをつけて足を開脚する。両手を腰の後ろで組んだまま背筋をする。この際、開脚できない人は左右に大きく脚を開いた形でもOK（つま先外向き外旋位）

チェックⅡの結果を基とした修正トレーニング

11 腹直筋トレーニング

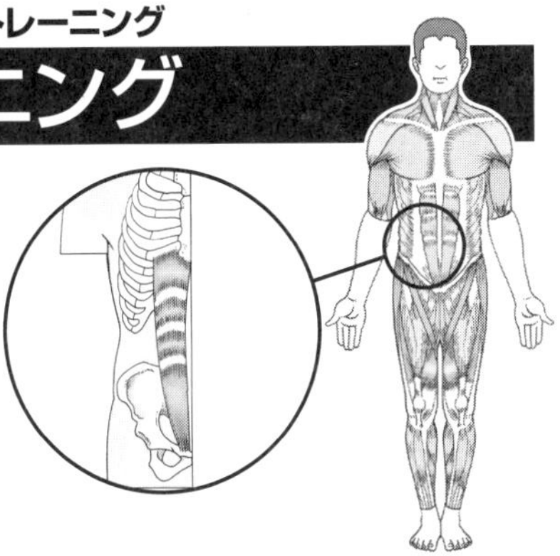

トレーニング効果

トレーニングを終えたあとに、いま一度バランススクワットを行うことによって、トレーニング前にチェックしたときよりも楽に同じ動作を行うことができることを感じ、また、より深く座れるように感じられます。

上半身、体幹部分の働きが改善されることで、下半身部分での運動をより円滑に行うことができるように感じられます。これも、体幹が可能にする動き「コアビリティ」の効果のひとつなのです。

トレーニング説明

今度は、バランススクワットで後傾し過ぎてしまった人のトレーニングです。

先にも説明しましたが、このタイプの人は、背中部分の筋肉の働き具合に比べ、腹筋部分の可動状態が悪いという特徴を持っています。ですから、腹筋部分の改善に努めましょう。

また、このトレーニングでも、腰椎3番部分を体幹部の動きの中心とした体幹屈曲活動が重要となります（既刊のDVDと書籍で紹介した「内転筋部分との連動を意識させた下腹部のための挟み式腹筋」と併用すると、より効果的なトレーニングとなります）。

また、この腹筋運動を行ううえでの注意点としては、股関節部で両脚の間をできるだけ開いた状態で安定させ、保持することです。恥骨部分（股の付け根部分）と肋骨下部分を近づけるよう、意識して行ってください。

腹直筋トレーニング

1 背臥位両下肢開拝位保持での
体幹部屈曲・挙上

20回～

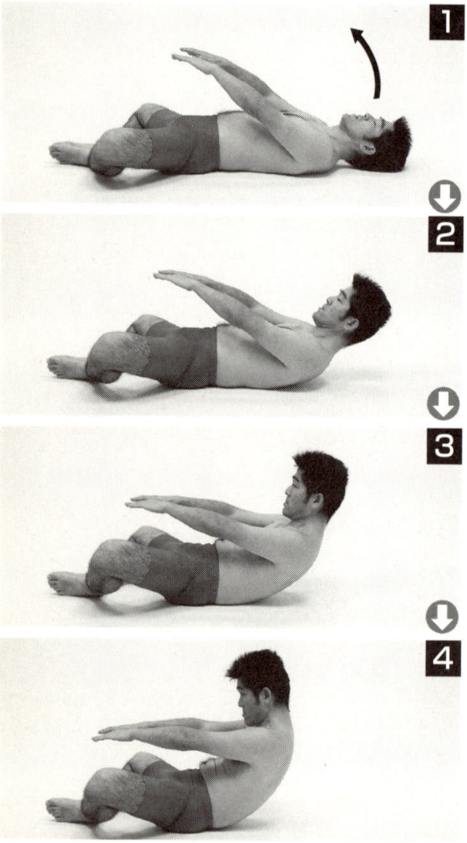

足の裏同士を合わせた状態で、できるだけ左右へと脚を開いて行う。また、肋骨と骨盤をできるだけ近づけるようにして行うこと

12 広背筋および脊柱起立筋での回旋系トレーニング

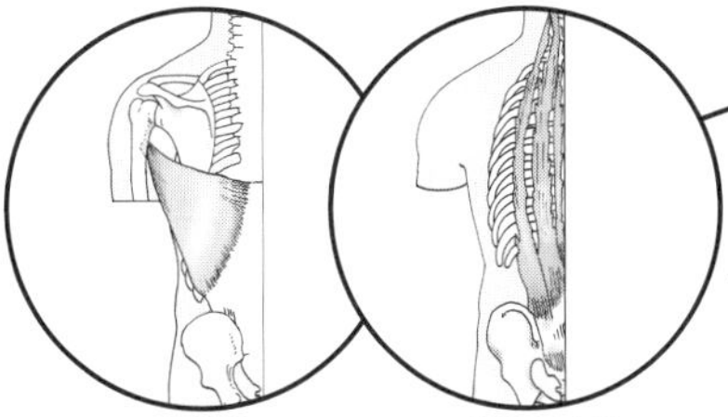

広背筋　脊柱起立筋

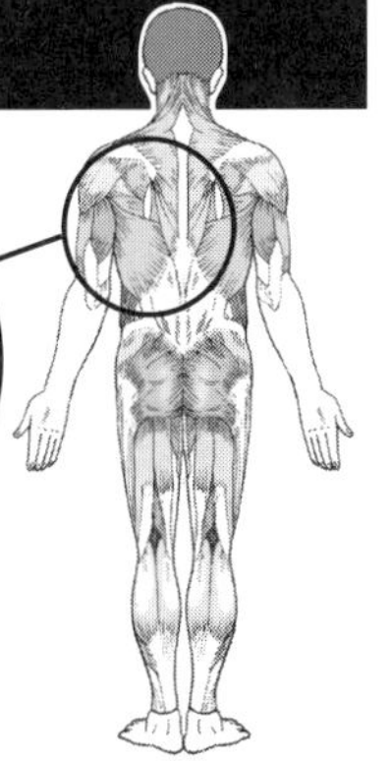

トレーニング効果

積極的にこの胸椎12番の回旋能力を引き出すことで、胸椎部分（上部）や腰椎部での負担を軽減させることができます。また、固定的に働く部分と動的に働く部分とが、ある程度分けられることで、ケガの少ないカラダを作り上げることが可能となります。

注意としては、この部位のトレーニングは、マシーンやメディシンボールなどを使った方法では、カラダ全体での活動となってしまうために一部の関節部分だけを刺激することは難しく、効果が薄くなっていまいます。

トレーニング説明

次は、ねじるようにして、左右へスライドさせる感覚で使用している胸椎12番部分の回旋系トレーニングです。

運動は、体幹部分でのねじれをできる限り行わないほうがいいですが、可動性改善のために、ここではあえて行っています。

注意点は、この胸椎12番部分の回旋動作には、強く股関節部が影響してしまうため、股関節部で代償的に起こる回旋動作を制限してあげる必要性があります。このため、この胸椎12番での回旋動作トレーニングを行う際には、座位で行うことが効果的な方法となります。また、腹部にボールなどを挟むことで、股関節部での働きを制限する方法もあります。

　できる限り上体を反らし上げた状態で行うことが、大切なポイントとなります。なぜなら、上体が下を向いてしまうことで、体幹部分での上下動（屈曲と伸展活動）が代償的に起こってしまい、目的とする正しい回旋動作がとれなくなってしまうためです。しっかりと胸を張った状態で行いましょう。

　また、強度を上げるために片方の腕の肘部分でダンベルを挟むなど、負荷をかけてを行うことが効果的です。

　右利き腕の場合は、左側が弱くなりやすいようです。

広背筋および脊柱起立筋での回旋系トレーニング

1 体幹部伸展膝関節部軽度屈曲位ベントポジション保持での
バックエクステンション&ボディターン

20回～

＜ペットボトルなし＞　＜ペットボトルあり＞

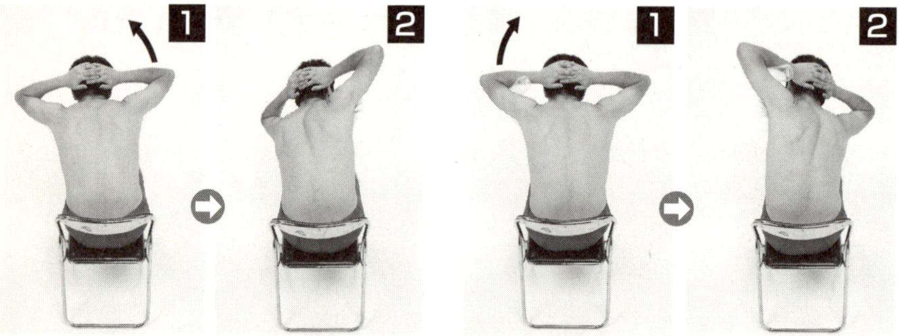

カラダを脚とお腹がつくように曲げた状態を保ちながら、背中を反らして上体を持ち上げる。その形のまま、ゆっくりと左右へとカラダを回すように。また、脚とお腹が離れてしまわないように注意すること

13 胸椎7番の可動域改善トレーニング

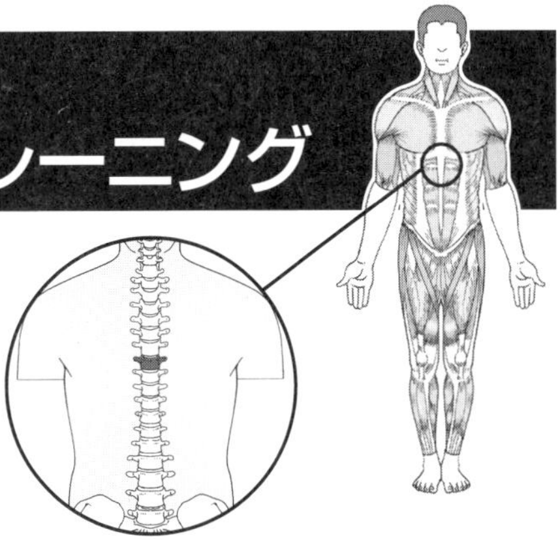

トレーニング効果

この方法を用いることで、胸部彎曲部分での前後方向での働きが活性化されることになり、体幹部全体の柔軟性が向上します。12番の回旋系トレーニングがうまくできない人も、この運動で改善されます。

トレーニング説明

一連の動作改善トレーニングでも、スクワットの改善がみられない人は、さらに上位胸椎部分の働きを改善する必要があります。

その方法とは、背中筋肉部分のトレーニングであるロウイング系の上部体幹トレーニングを増やすといったものでも改善することが可能です。が、しかし、胸椎上位部分の関節、特に胸椎7番部分周辺は、上半身での肩甲骨の働きや下半身、特に大腿四頭筋などの柔軟性の影響を強く受けてしまうために、この2つの働きにある程度の制限を加えて行ったときの方が、上半身と下半身部分の筋肉の連動性がよくなり、より効果的なトレーニングとなります。

そこで、正座状態から左右へと後ろで脚を開き、その間に腰を下ろした状態のまま、仰向きに寝転び、かかと部分を手で持ちながら上体を起こす方法が効果的です。

徐々にゆっくりと時間をかけて、少しずつ改善して行きましょう。
　誰にでも必ず効果はありますから、あせってケガなどをしないように、心がけて行ってください。

胸椎7番の可動域改善トレーニング

1 仰臥位両下肢正座位保持での
体幹部屈曲・挙上

20回～

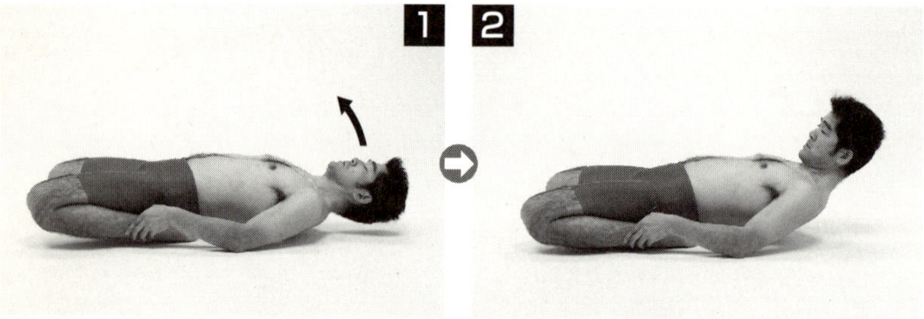

正座の形で両脚を少し開き気味にした後、そのままの姿勢で後ろへと倒れる。維持できれば、このままの姿勢で腹筋運動をする。また、カラダが硬くこのポジションがとれない場合は、少しずつゆっくりと伸ばしていくように

14 縫工筋・長内転筋・恥骨筋・薄筋トレーニング

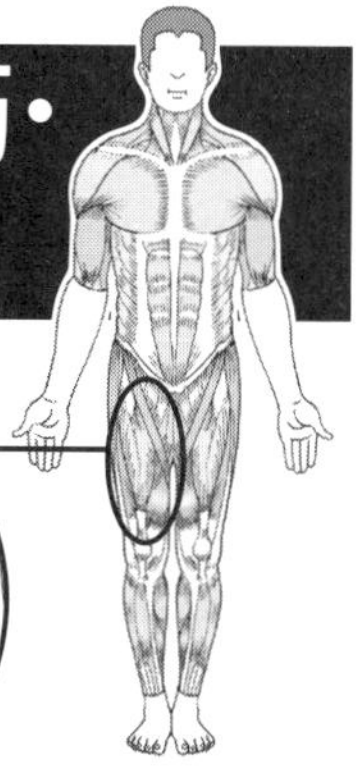

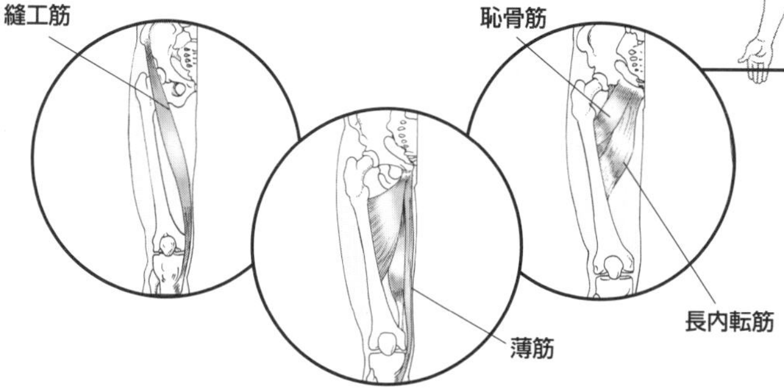

トレーニング効果

これら筋肉群は、第3章でも説明した筋肉の収縮のスピードが「羽状筋」に比べ速い「平行筋」たちです。これらを鍛えることで股関節部での外旋を伴った挙上運動（屈曲活動）が楽になります。

また、特にピッチ型の選手（061ページ参照）には、効果的なトレーニングといえます（ストライド型の選手の場合、股関節での活動は、まったく逆の内股気味な活動［内旋位］が優位に働いてしまうため）。

トレーニング説明

先に紹介した「外腹斜筋」や「腸腰筋」とともに、股関節部を曲げるように働いている筋肉なので、同時に鍛えておきたい筋肉群です。

また、内旋筋群とは違い、3倍近くもの筋力を有しているために、速い回転を必要とするピッチ型の選手では、その発達がよくうかがえる筋肉群です。

運動上のポイントとしては、支持している側の脚が挙上時にゆるんでしまったり、無理に脚の高さを上げようとするあまり、お尻が下に落ちてしまうという代償性運動に注意することです。このような代償性運動は、体幹部分の前屈《かが》みな作用（屈曲活動）によって起こるため、かえって股関節の動きを小さいものにしてしまうので、十分な効果を得ることができません。必ず注意して行ってください。

　また、これらの代償性運動をなくすためには壁を使ってのトレーニングが、有効に働きます。特に右利き腕の方の場合では、右脚が弱くなることが多いようです。

縫工筋・長内転筋・恥骨筋・大腿薄筋部トレーニング

1 仰臥位下肢軽度伸展・内転・外旋位保持での 股関節部屈曲・挙上 20回～

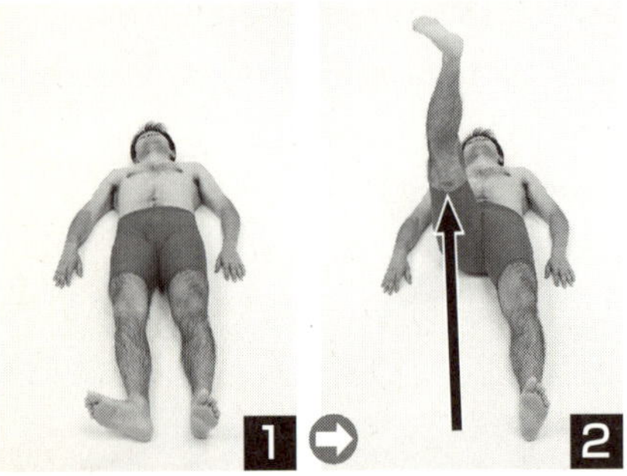

運動する側の足先を軽く外に開いて脚を上げる。腰が床から浮かないように気をつけて、最頂点まで、しっかりと上げること

縫工筋・長内転筋・恥骨筋・大腿薄筋部トレーニング

2 壁際立位下肢軽度伸展・内転・外旋位保持での 股関節部屈曲・挙上 30回～

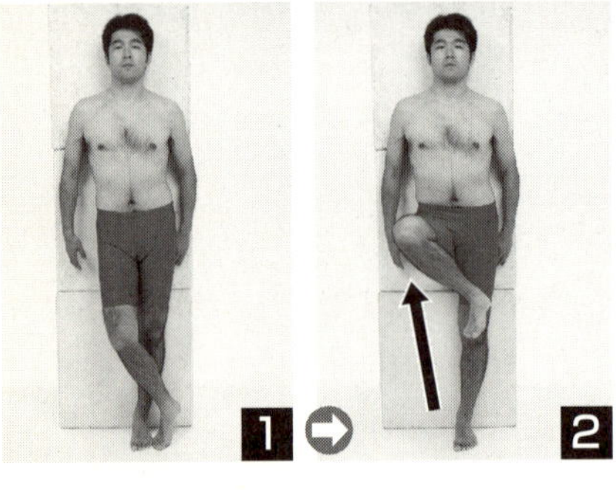

壁を背にして、できるだけ壁に密着して立ち、片足をまっすぐにして、もう一方の足をクロスさせて、つま先を外側に向けて膝をできる限り高く上げること

⑮ 大腿筋膜張筋トレーニング

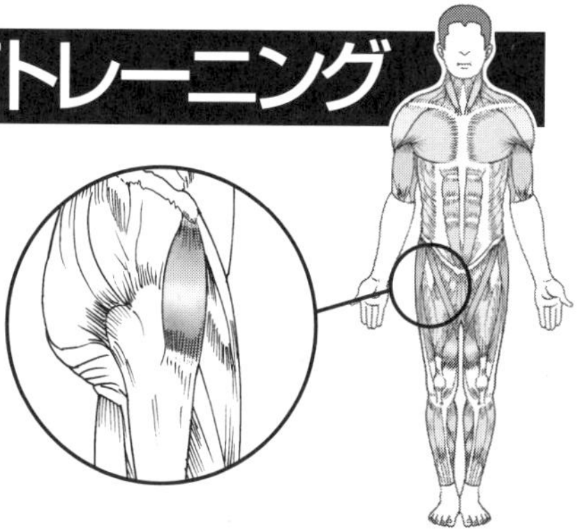

トレーニング効果

筋力に左右差があった場合は、改善されることで弱い側の股関節部での脚の内旋挙上（屈曲）が容易になります。

また、この筋肉の強い側に骨盤が引っ張られることで、前方斜め方向への動揺が発生しやすくなることから、この筋肉を改善することは、中・小臀筋の働きとともに左右方向での動作安定にも有効に働きます。

そのほか、スタート瞬間での脚運び時やストライド型（061㌻参照）の場合では、この筋肉の働きが内腹斜筋とともに向上することで前方方向へと下肢を引き出しやすくなるため、ストライドが伸び、スピードも向上します。

特に今回の「超走」のスタート時では、必要となる筋肉のひとつです。

トレーニング説明

立位で壁際に立ち、下肢部を前方方向へと内旋させながら挙上（屈曲）させることで弱い側を知ることができます。また、この場合、反体側のかかとを浮かせてしまったり、腰が落ちてしまわないように注意が必要です。

背臥位・側臥位でも、股関節を内旋し、挙上（屈曲または外転）させることで弱い側を知ることができます。この場合は、体幹上部でのねじれによる代償性運動が起きやすくなるために注意が必要です。

代償性運動対策としては、弱い側の臀部下に手を入れ、任意に骨盤部を傾かせることでの動作制限が有効となります（側臥位での外転時には、中・小臀筋と同じく骨盤の固定が必要）。一般的に右利き腕の場合は、左側の大腿筋膜張筋が弱くなりやすいようです。

大腿筋膜張筋トレーニング

1 壁際立位下肢軽度伸展・外転・内旋位保持での
股関節部屈曲・挙上

20回～

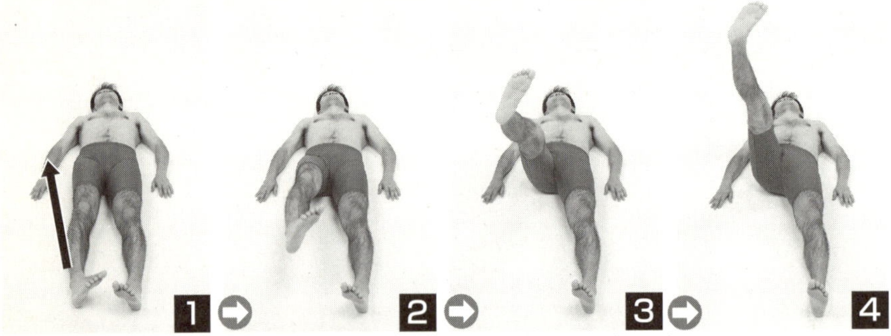

運動する側の足先を軽く内に閉じて脚を上げる。腰が床から浮かないように気をつけて、最頂点まで、しっかりと上げること

大腿筋膜張筋トレーニング

2 仰臥位下肢軽度伸展・外転・内旋位保持での
股関節部屈曲・挙上

15回～

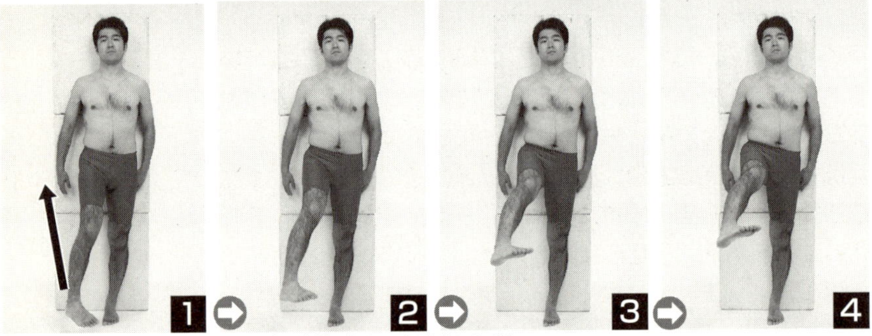

足を90度に内側に向けて、足を前に上げる

16 大腿二頭筋トレーニング

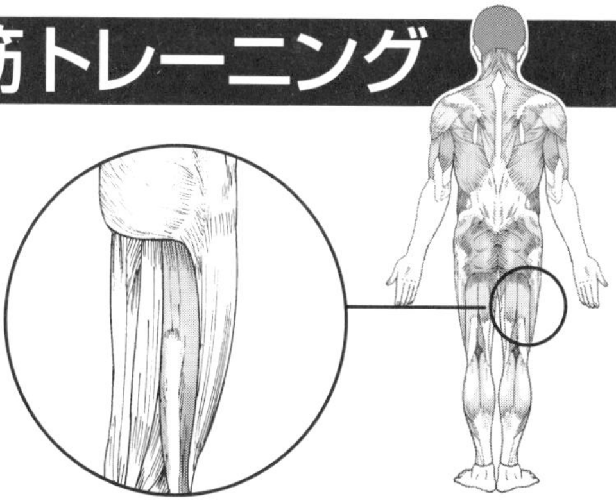

トレーニング効果

この筋肉の働きがよくなることで、股関節部での大臀筋の働き（走る動作の際に後方へと脚を開きながら運び、地面を蹴って前方へ進む動作）に対して、補助的に働いている筋肉なので、その働きがよくなることでスピードも増します。また、股関節部での外への回旋動作を股関節屈曲時に必要とされるピッチ型タイプ（061㌻参照）の方には、大変効果的です。

右利き腕の場合は、左側が弱くなりやすいようです。

トレーニング説明

ピッチ型に求められる股関節部伸展・内転・外旋動作を強化するためのトレーニングです。レッグカールを中心に行っています。

この運動を行ううえで気をつけてほしいことは、膝関節部を曲げ込むときの下腿部の向きです。この大腿二頭筋は、下腿部、つまり、膝から下の足部分を外方向へと向けさせ、回転させるように使わせながら脚を後ろに蹴る動作中に（股関節部を伸展・外旋）働いている筋肉です。下腿部分を外に回すように意識しながら動かしてあげることがポイントです。

大腿二頭筋トレーニング

1 伏臥位下腿部外旋保持での

膝関節屈曲動作 30回〜

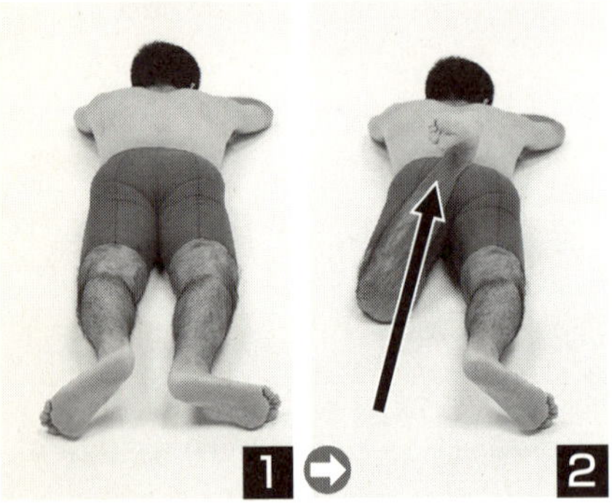

足の外側の縁部分で、お尻を叩くような気持ちで膝を曲げる

大腿二頭筋トレーニング

2 片腕挙上伏臥位下腿部外旋位保持での

膝関節屈曲動作 30回〜

<横から>

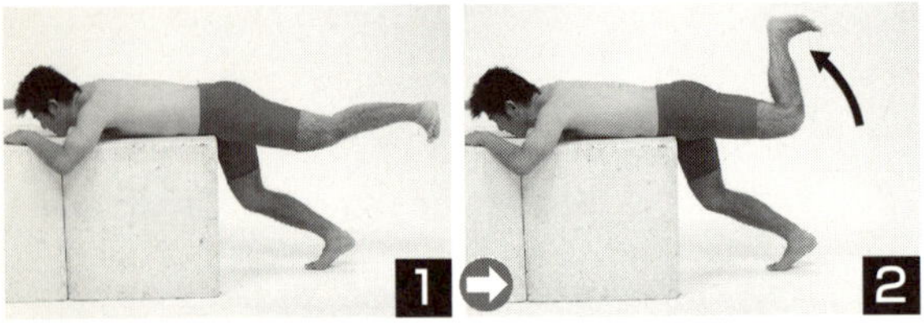

<後ろから>

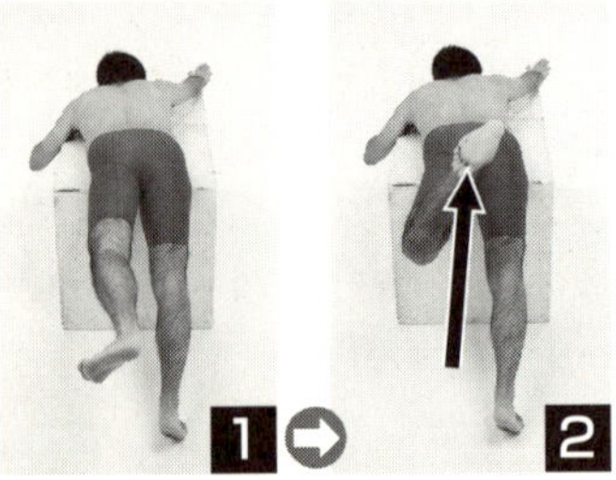

運動側と反対側の腕を挙上することで、代償性運動動作を制限できる方法。しっかりとできるだけ高く脚を上げること

大腿二頭筋トレーニング

3 伏臥位下腿部外旋位保持での
膝関節屈曲動作
（膝が開いてしまう人用）

30回～

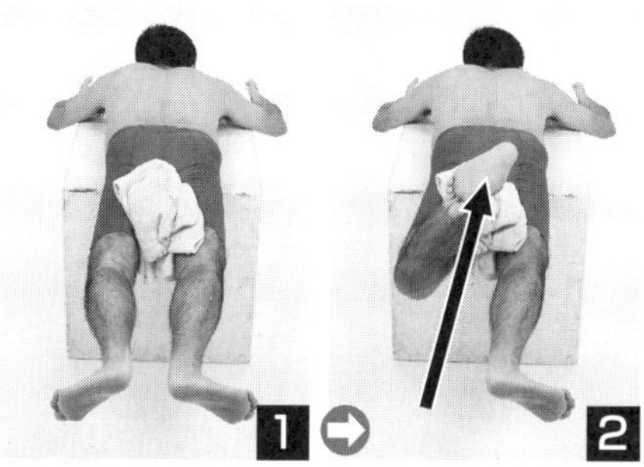

どうしても脚の間が開いてしまう場合、クッションや枕を挟んで行うと効果的に

大腿二頭筋トレーニング

4 膝関節屈曲&股関節伸展
（ピッチ型）

15回～

バランスランジトレーニング

＜横から＞

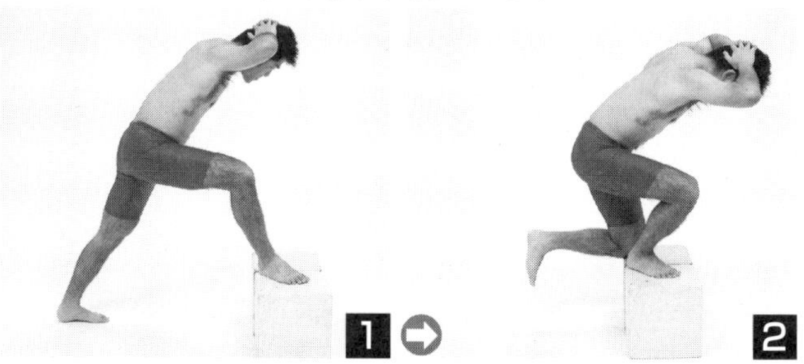

＜前から＞

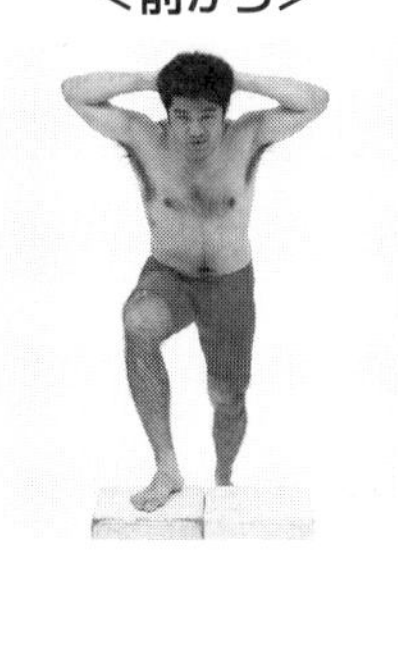

運動側の足先を外に向けた状態で、走る状態時の脚の振り戻しをイメージしてカラダを前足で引きつけるように行う。また、運動時の膝のケガには注意すること

17

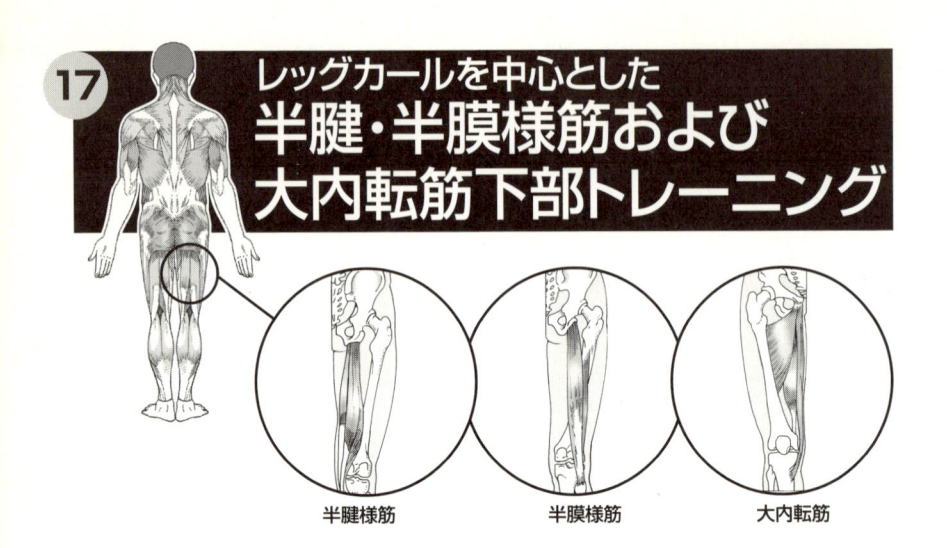

レッグカールを中心とした 半腱・半膜様筋および 大内転筋下部トレーニング

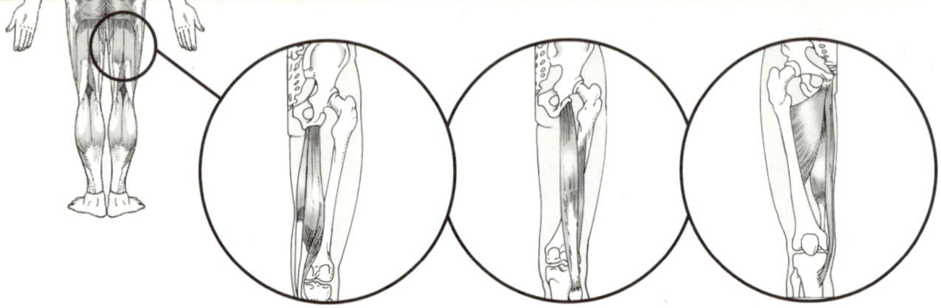

半腱様筋　半膜様筋　大内転筋

トレーニング効果

この部分の筋肉は、下腿部、つまり、膝から下の足部分を内方向へと向けさせ、回転させるように使わせながら脚を後ろに蹴る動作に（股関節部を伸展・内旋）働いている筋肉ですから、その働きがよくなることでスピードも増します。股関節部での内への回旋動作を、股関節屈曲時に必要とされるストライド型タイプ（061ページ参照）には、大変効果的です。

トレーニング説明

ストライド型に求められる股関節部の伸展・内旋の補助トレーニングです。レッグカールを中心としています。トレーニング上の注意として、足先を完全に内側に向けて、ゆっくりと行うことが大切です。また、台を使った膝の折り曲げ運動では、両手を頭の後ろで組むことで運動強度を高めます。

右利き腕の場合は、右側が弱くなりやすいようです。

半腱・半膜様筋および大内転筋下部トレーニング

1 伏臥位下腿部 屈曲・内旋動作 30回～

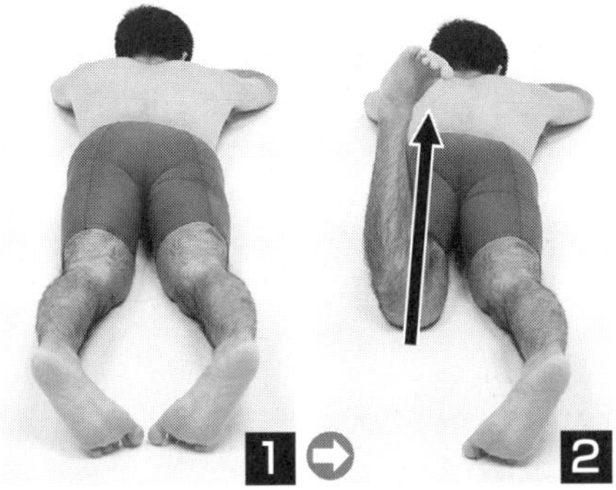

脚の親指の縁側でお尻を叩くように膝を曲げること

半腱・半膜様筋および大内転筋下部トレーニング

2 伏臥位下腿部（台を使った） 屈曲・内旋動作 30回～

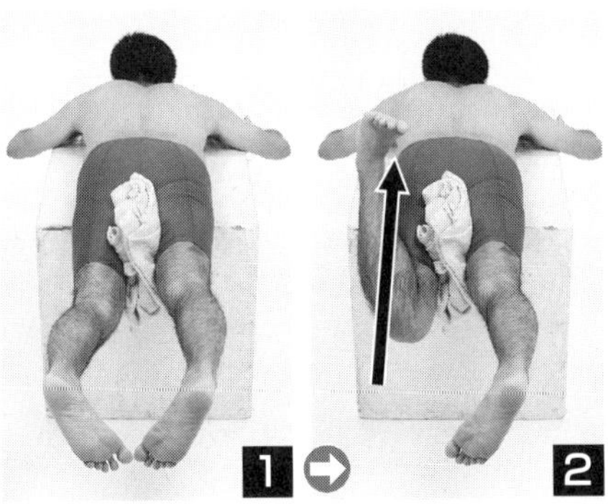

どうしても運動時に脚が開いてしまう場合のトレーニング方法

半腱・半膜様筋および大内転筋下部トレーニング

3 片脚挙上伏臥位下腿部内旋位保持での
膝関節屈曲動作 30回～

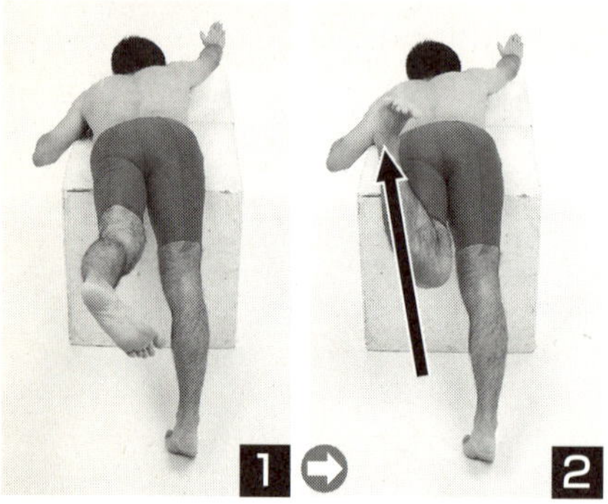

運動側と反対側の腕を挙上することで、代償性運動動作を制限する方法

半腱・半膜様筋および大内転筋下部トレーニング

4 半腱・半膜様筋での
膝関節屈曲&股関節伸展 15回～
(ストライド型)

<横から>

<正面から>

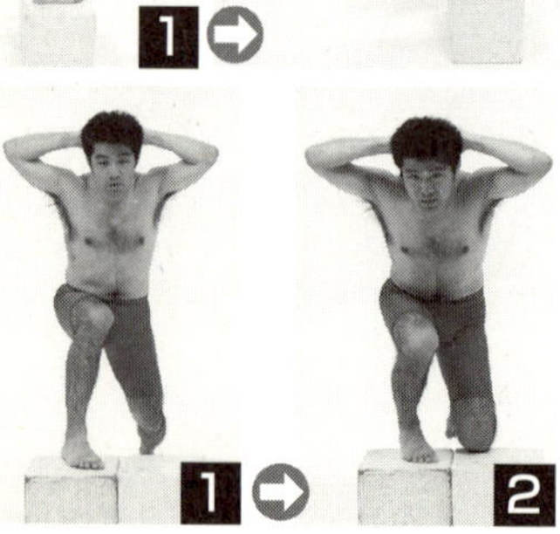

運動側の足先を内に向けた状態で、走る状態時の脚の振り戻しをイメージして、カラダを前足で引きつけるように行う。また、運動時の膝のケガには注意すること

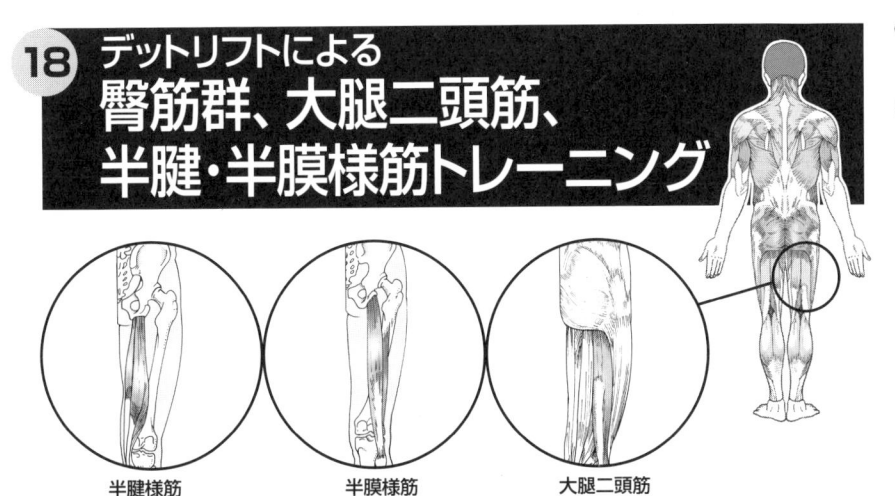

18 デットリフトによる 臀筋群、大腿二頭筋、半腱・半膜様筋トレーニング

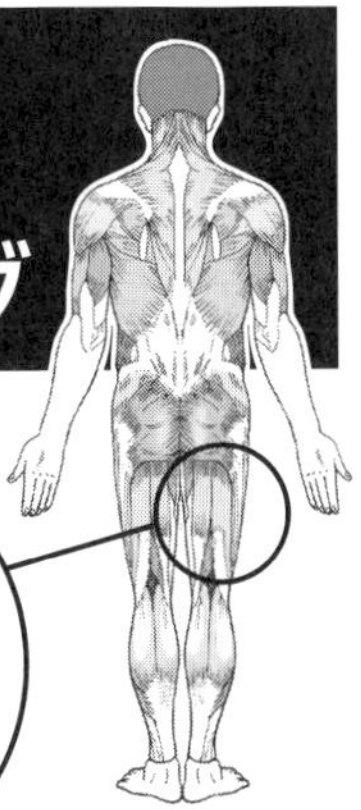

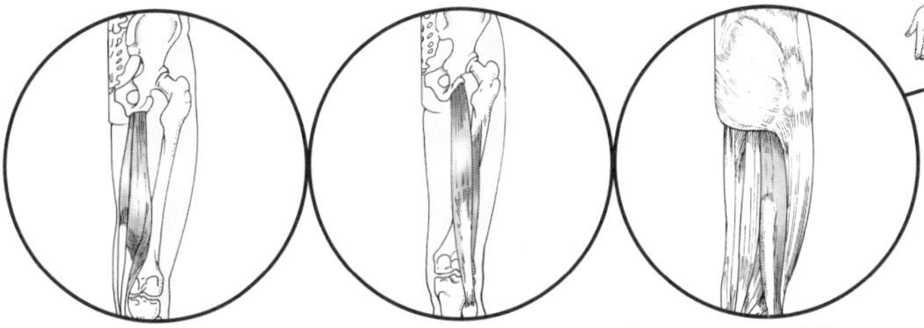

半腱様筋　　半膜様筋　　大腿二頭筋

トレーニング効果

腰を痛めていたり、股関節の働きが弱い人にとっては、鍛えたい股関節部を呼吸により、働きを明確に位置づけ、また、分けて使わせることで脊椎部、特に腰椎部分への負担を減らすことができます。

トレーニング説明

デットリフトは、筋力が弱かったり、柔軟性が低い人、また、腰を痛めた経験のある人にとっては、ケガに対する注意が重要となるトレーニングでもありますが、呼吸を利用する（バルサルバ効果）ことによって、ケガへのリスクや痛みを軽減し、より安全に行うことができるようになります。

具体的には、一番に負担のかかる前屈状態への移行動作時には、息を吸い、反対に重量物を持ち上げる際には、息を吐きながら持ち上げます。

臀筋群、大腿二頭筋、半腱・半膜様筋トレーニング

1

膝関節部軽度屈曲位 立位体前屈トレーニング

15回～

重りを持ち、息を吸いながら下ろして、吐きながら上げる。こうすることで股関節を中心としたトレーニングになる。息を吸うと腹圧が上がるため、お腹がエアバック状態になり腰がそれ以上曲がらなくなるため、股関節でしか曲がらなる。逆の呼吸方法の場合では、腰が動きの中心となり、負担がかかるため注意すること

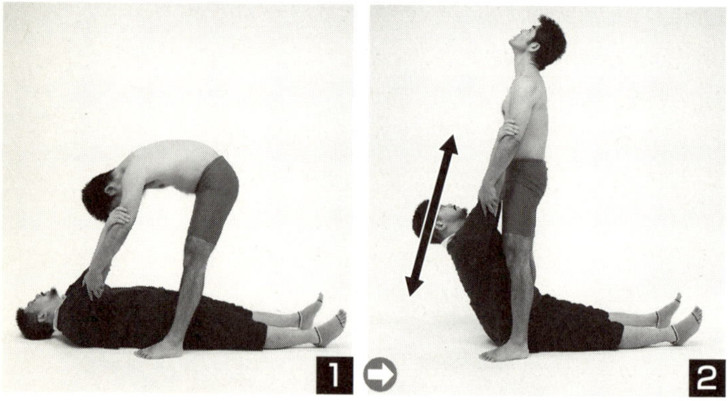

上部のトレーニングを重りの代わりに人を使った方法

19 “ナンバ”走りに必要な肩のトレーニング

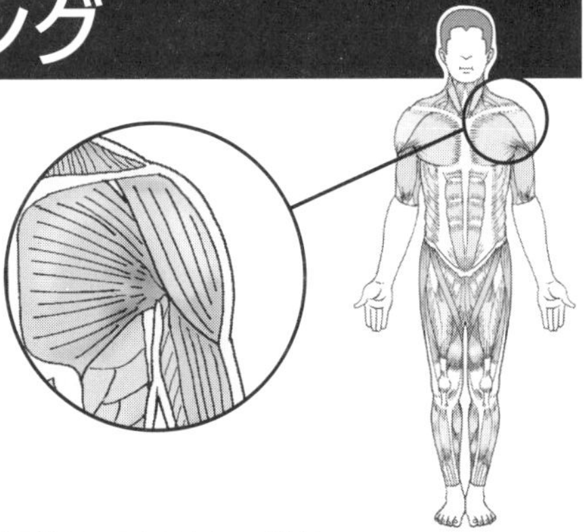

トレーニング効果

肩の柔軟性を高めることで、体幹部分と肩を別々に使うことができれば、カラダ全体の柔軟性を向上させることができるようになります。また、肩の柔軟性が向上することで、骨盤や股関節の働きも向上します。これは、おもに肩部分と骨盤を繋いでいる広背筋の働きがよくなるためと考えられます。

トレーニング説明

肩のトレーニング、特に、肩の柔軟性は、その動きの幅の大きさのために見落とされ、あまり積極的には、鍛えられてはいない部分のようです。また、最近では、“ナンバ”の流行により、その働きを見直されてもきているようです。同時に改善を図ってやらなければ、全身の改善への障害となってしまいかねません。また、私の考える「超走」では、この肩部分を体幹部分に引っ掛けさせたような形でリラックスさせ、前後に肩甲骨ごと回すように使うことを勧めていますので、肩周辺の柔軟性をあげることは必須です。

注意点として、最大限、肩甲骨を前後方向へと動かしてあげることと肘や体幹部分での代償性運動が発生してしまわないように気をつけて行いましょう。また、最初のうちは、ゆっくりとしたリズムで行いましょう。

“ナンバ”走りに必要な肩のトレーニング

1 片側肩関節全体での軸回旋を含む

肩甲骨内・外転

20回～

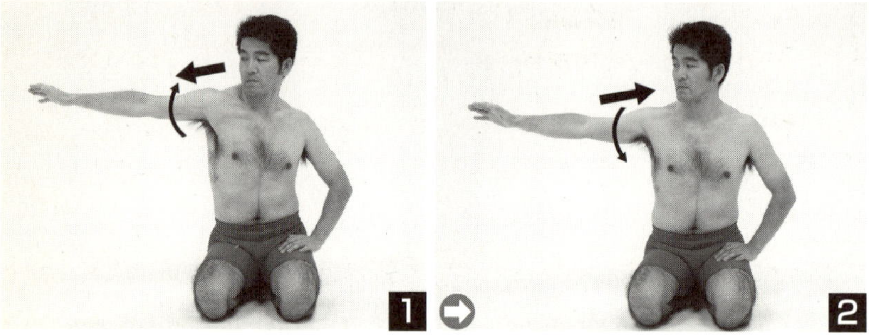

手先で遠くの物を取りに行くような気持ちで、肩甲骨を含めた肩全体を前後に回しながら関節部分を伸縮させる。カラダは、動かないように保ち、肘関節も曲がってしまわないように気をつける

“ナンバ”走りに必要な肩のトレーニング

2 両側肩関節全体での軸回旋を含む

肩甲骨内・外転

20回～

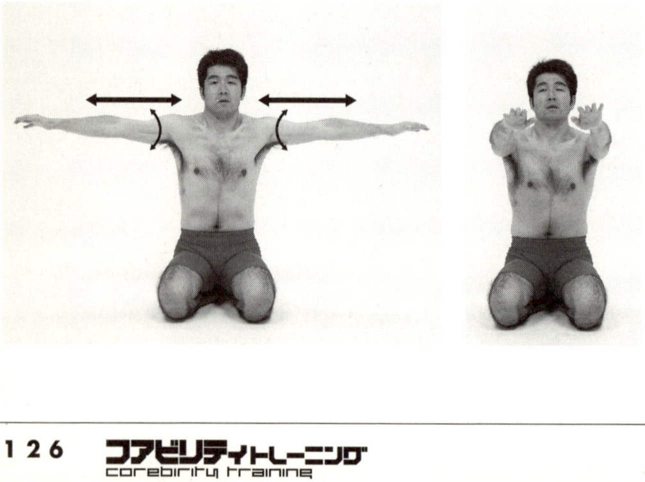

今度は、両手で行う。腕全体を左右へと開閉するように動かしながら、ゆっくりと手先で遠くの物を取りに行くような気持ちで、肩甲骨を含めた肩全体を前後に回しながら関節部分を伸縮させる。カラダは、動かないように保ち、肘関節も曲がってしまわないように気をつける

“ナンバ”走りに必要な肩のトレーニング

3 タオルを使用した

両肩甲骨内・外転&肩関節伸縮動作

20回～

<正面から>

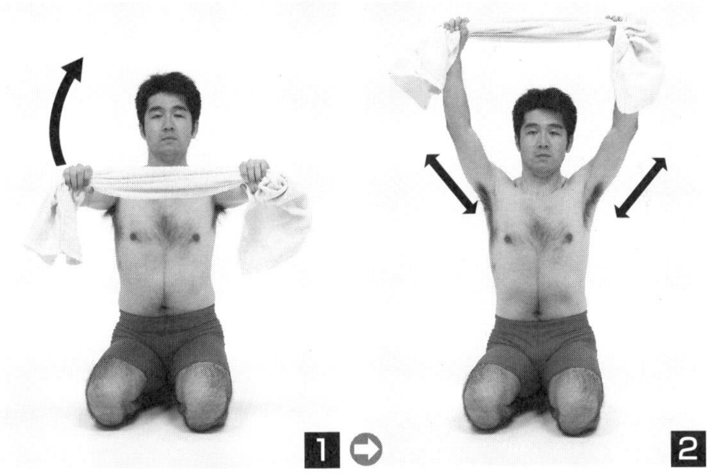

<横から>

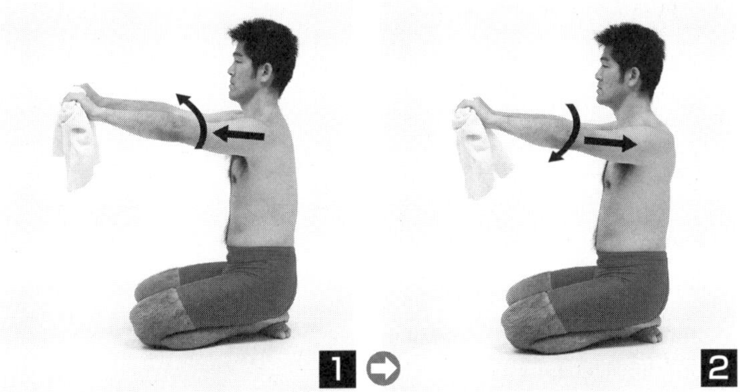

両手でタオルを持ち、肘関節をゆるめないようにして、肩甲骨から腕全体を大きく、前後・上下方向へと動かしながら伸縮させること

“ナンバ”走りに必要な肩のトレーニング

4 壁を利用した肩甲骨の

内・外転&内・外旋

20回～

＜後ろから＞

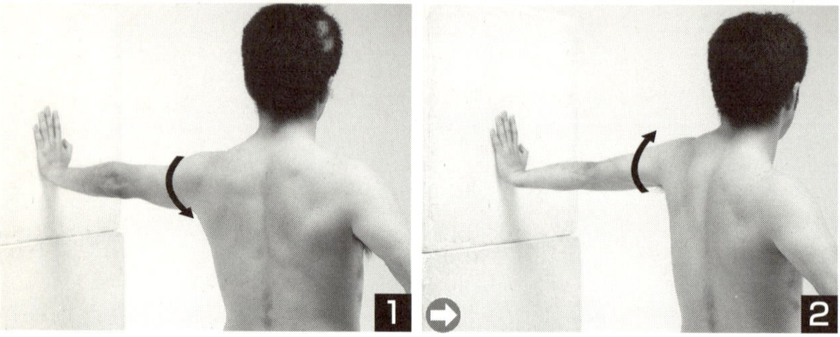

＜前から＞

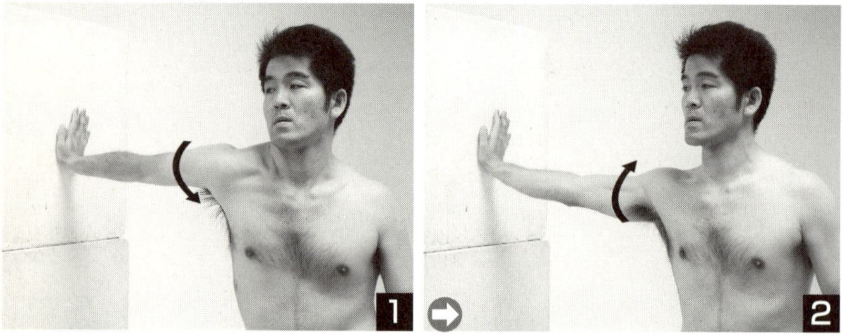

肩関節と肩甲骨全体を回しながら、前後に大きくゆっくりと振り出し動作と振り戻し動作を行うこと

本書に登場する
人体の主要な筋肉と骨格図

前面

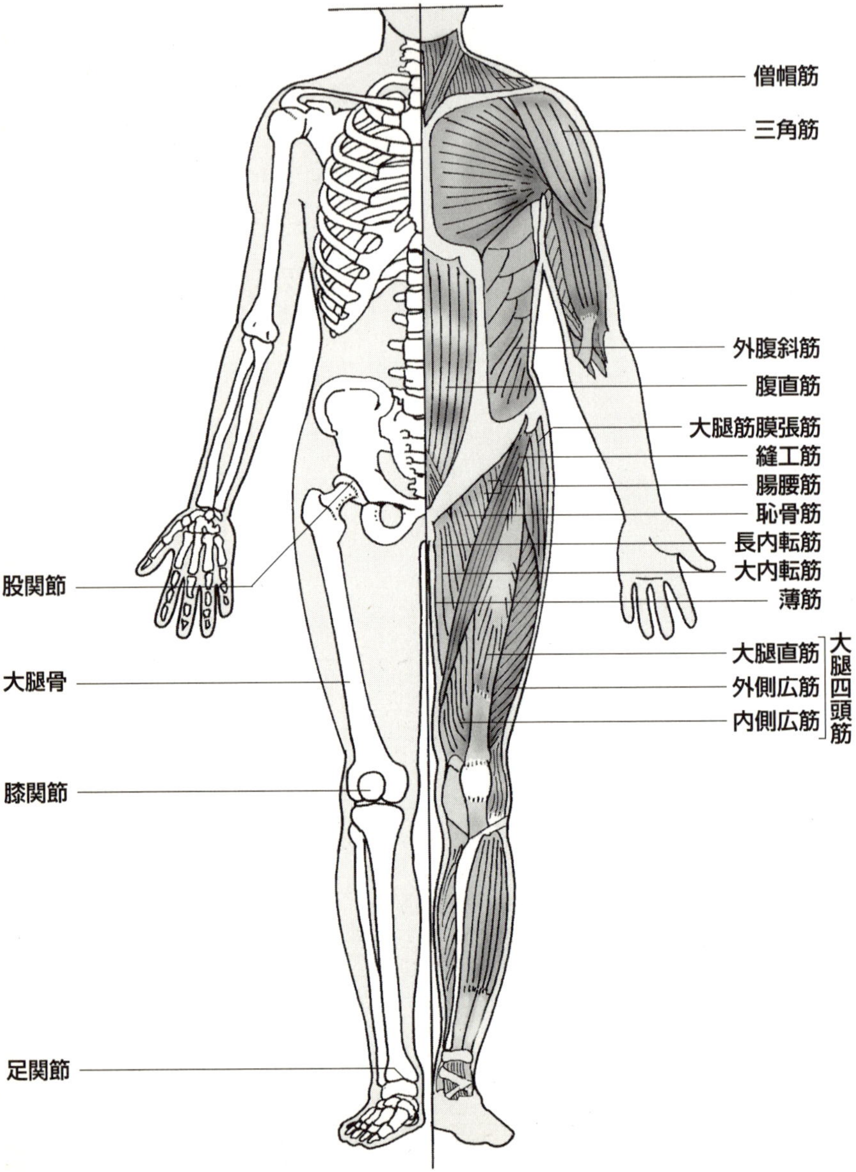

後面

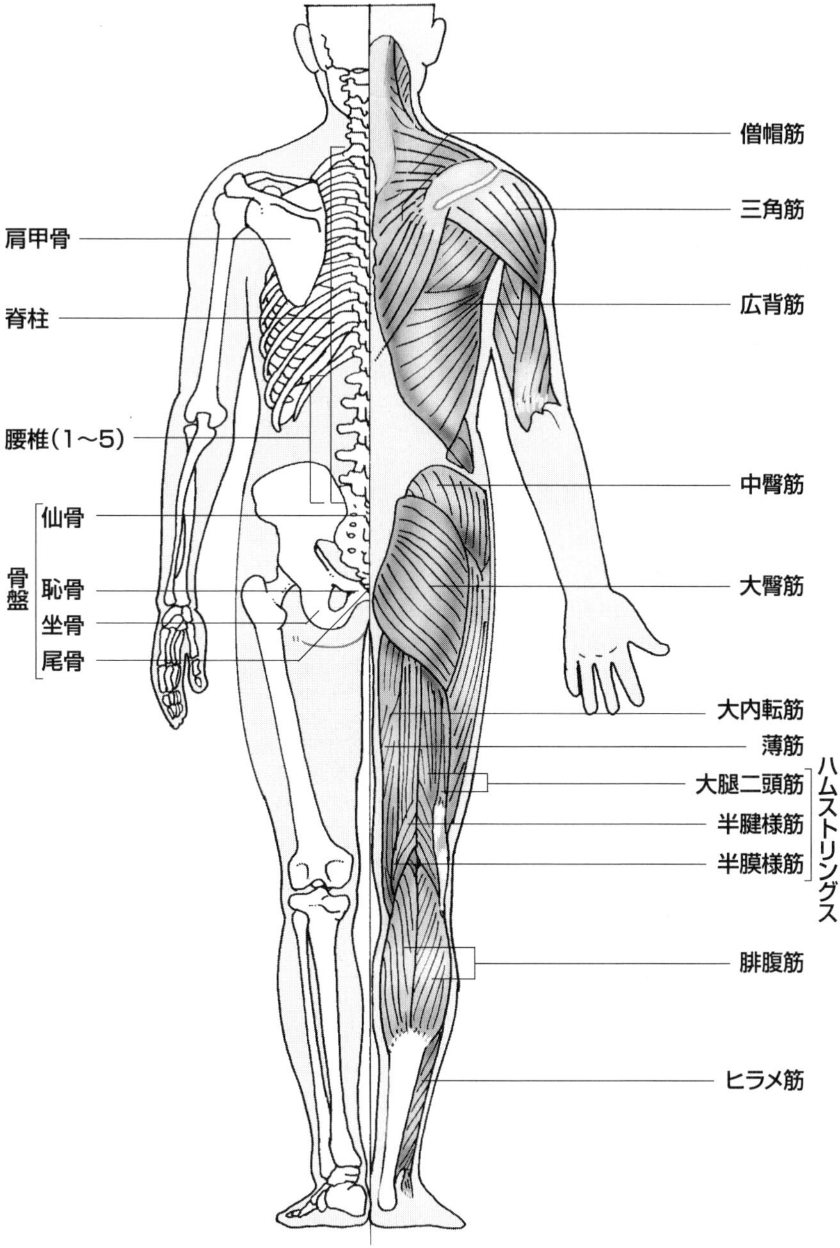
肩甲骨
脊柱
腰椎(1～5)
仙骨
骨盤
恥骨
坐骨
尾骨
僧帽筋
三角筋
広背筋
中臀筋
大臀筋
大内転筋
薄筋
大腿二頭筋
半腱様筋
半膜様筋
ハムストリングス
腓腹筋
ヒラメ筋

エピローグ

「超走」を書き終えて

この度も、執筆の間、言葉に言い表せないほどの愛をみなさんにいただきました。

この場を借りまして厚く御礼申し上げます。

アメリカンフットボールという素晴らしい世界へと導いてくれた毎日放送の永井達也さん。スポーツの枠を超え、公私ともに良き理解者であり、親友の磯田盛男さん。

自他ともに認めるスポーツを心から愛する仲間とのネットワークを広げてくれる一番の立役者で燃える男、生けるスポ根魂！ 進藤健史さん。いつも生きるパワーをくれるインストラクターの多田礼子さん、進藤朋美さん、西代雑技団のみなさま。

貴重なトレーニングデータのご意見番、海田香織さんと田中友美子さん。この度は、夜遅くまで本のチェックをお手伝い頂いた位田香里さん。この度の本に貴重なデータを送って下さいましたオービックシーガルズの富樫司トレーナー、筑波大学アメリカンフットボール部マネージャー、近藤寛子さん。そして、影の功労者である黒崎大さん。

音楽と身体運動の融合、そして新しい人生観をも与えてくださった、シューツ アンド トーン代表・楠瀬誠志郎様と、良き助言者でもある新生剛士さん。

また、多大なるご協力を頂いております、ミズノ株式会社の荻野毅様、坂口達雄様、白石篤史様、AC.DC社員のみなさま。人生という永い航海を安心して進むことかでき、生きる意味と希望を与えてくださいます、小川秀和社長、森健次朗社長、千々松芳弘さん、大槻佳子さん、河口正史さん。

私の遅筆さでご迷惑を掛け通しのベースボール・マガジン社の担当編集・戸島正浩さんには、本当に頭が下がります。企画段階から加わって頂き、貴重なご意見をくださったスポーツジャーナリストの山田ゆかりさん。

そのほか、ここには書ききれないほどのご協力を頂いた選手、患者のみなさま、本当にありがとうございました。

そして、いつも素晴らしい笑顔で、一切の苦労や苦痛から心を解放してくれる子供たち、琹奈と慶維。文章のタイピング作業を深夜遅くまで手伝ってくれたにもかかわらず、朝早くから働き、私の体調をいつも気遣ってくれる笑顔が素敵な、愛する妻・真紀。いつも、いつも本当にありがとう。お父さんは、益々頑張ります。頑張れます。

今回の本は、スタートからゴールまで、本当に言葉に表現することの難しさを、改めて痛感しました。自分のイメージを言葉にする難しさ、「読者のみなさんにこれで伝わるのだろうか？」という葛藤を繰り返し、できうる限り、現時点でのコアビリティトレーニングのエッセンスを詰め込んだつもりです。

自分と真剣に向き合い、いい勉強をさせてもらえたと、いまは感謝の気持ちでいっぱいです。

また、改めて自分がスポーツに携われること、スポーツを好きな気持ちを再認識いたしました。

最後に、この本が、読者のみなさんにとって有益となり、けっして私の独りよがりな内容ではないことを祈りつつ、筆を置くことにします。

では、また続編でお会いしましょう。

2005年6月吉日

山下哲弘

参考文献一覧

・カパンディ関節の生理学　1　2　3
荻島秀男／監訳　島田智明／訳　医歯薬出版

・ダンステクニックとケガ
ジャスティン・ハウス、シャーリー・ハンコック／著　大修館書店

・筋の機能解剖
ジョンH.ウォーフィル／著　矢谷令子、小川恵子／訳　医学書院

・運動器の機能解剖
レネ・カリエ／著　荻島秀男／訳著　医歯薬出版

・ランニングパフォーマンスを高める スポーツ動作の創造
小林寛道／著　杏林書院

・合気道の科学
吉丸慶雪／著　ベースボール・マガジン社

・バイオメカニクス 身体運動の科学的基礎
金子公宥、福永哲夫／編　杏林書院

・筋の科学事典　—構造・機能・運動—
福永哲夫／編　朝倉書店

コアビリティトレーニング

corebirity training

超走 chou-sou

2005年7月20日　第1版第1刷発行

著　者／山下哲弘
発行人／池田哲雄

発行所／株式会社ベースボール・マガジン社
〒101-8381 東京都千代田区三崎町3-10-10
電話 03-3238-0285（出版部）
03-3238-0181（販売部）
振替 00180-6-46620

印刷・製本／大日本印刷株式会社

Printed in Japan , ISBN4-583-03853-4 C2075